GABRI...

Gabrielle Roy est née le 22 mars 1909 à Saint-Boniface, Manitoba. Après des études à l'Académie Saint-Joseph et au Winnipeg Normal Institute, elle pratique le métier d'institutrice pendant huit ans. En 1937, elle s'embarque pour l'Europe où elle écrira ses premiers récits tout en voyageant en France et en Angleterre. De retour au pays en 1939, elle collabore au Jour, *à la* Revue Moderne *et au* Bulletin des agriculteurs *auquel elle donne une série de grands reportages. Son premier roman,* Bonheur d'occasion, *reçoit le Prix Femina en 1947 et est sélectionné par la Literary Guild of America. D'un second séjour en Europe, elle rapportera un nouveau livre,* La Petite Poule d'Eau, *publiée en 1950. Par la suite, elle vit à Québec et à la Petite-Rivière-Saint-François, où elle ne cesse pendant plus de trente ans d'écrire des romans et des récits qui la font considérer comme l'un des écrivains les plus importants de la littérature québécoise et canadienne contemporaine. Elle est décédée à Québec, le 13 juillet 1983.*

CET ÉTÉ QUI CHANTAIT

Publié pour la première fois en 1972, *CET ÉTÉ QUI CHANTAIT* est le huitième ouvrage de Gabrielle Roy, et celui où s'exprime, peut-être à l'état le plus pur, le grand rêve d'innocence qui traverse toute son œuvre. Dans le décor simple et pullulant de Charlevoix, entre le fleuve et la forêt, au milieu d'un été de lumière et de fleurs, une femme entre en communication avec la nature et tout ce qui la peuple: oiseaux, animaux, éléments, hommes. Elle regarde. Elle écoute. Elle dialogue. Et il se trouve que c'est à une profonde réconciliation avec elle-même et avec le monde, avec la vie comme avec la mort, que la convient toutes les voix des arbres, du vent, de la terre et du ciel. Grave et doux, ce chant de l'été lui fait entendre la musique de son propre cœur enfin unie à celle de l'univers. Ce chant pourrait s'appeler « Ode à la joie », mais d'une joie qui a connu et traversé le silence de la douleur.

Cet été
qui chantait

Mariette

Gabrielle Roy
Cet été
qui chantait

QUÉBEC

10
10

Stanké

MONTRÉAL – PARIS

La collection Québec 10/10 *est publiée sous la direction de* Roch Carrier.

Éditeur: Éditions internationales Alain Stanké ltée
       2127, rue Guy
       Montréal (Québec)
       CANADA H3H 2L9

ISBN 0-8856-6134-6

Imprimé au Canada

Dépôt légal : 4e trimestre 1979

A Berthe,

à mes voisins de Grande-Pointe,
en Charlevoix,

aux enfants de toutes saisons
à qui je souhaite de ne jamais se lasser
d'entendre raconter leur planète Terre.

Monsieur Toung

I

Ce ouaouaron vivait à l'extrémité du monde habité. On atteignait la fin du village, lui-même déjà reculé. Il n'y avait plus de place entre la montagne boisée et la grève sauvage que pour le chemin de fer. Lui seul pouvait trouver à se faufiler entre d'un côté les éboulis, de l'autre les empilements de roc éboulé.

Nulle part au monde je n'ai connu chemin de fer plus tranquille.

Tout contre, c'est le fleuve qui, lui, ne manque pas de place pour étaler sur vingt-deux milles de largeur son grand corps sans cesse agité par les forces de la marée. Au flux, les vagues clapotent contre le remblai; on les entend parfois résonner très haut parmi les rochers comme si c'était dans la pierre qu'elles déferlaient. Sur le sommet veillent de vieux pins rarement silencieux. L'un, projeté de biais, seul au bord de l'escarpement, se lamente avec une singulière insistance juste avant la tombée du jour.

Autre surprise encore: tout le long de ce chemin de fer abondent les fleurs sauvages. C'est qu'une fois habituées au souffle de la locomotive et à la pauvreté du sol, elles ont trouvé ici des avantages rares: par exemple de n'être jamais broutées ni non plus souvent cueillies. Il n'y a pour ainsi dire que Berthe et moi à en prendre. Mais nous sommes toujours raisonnables, Berthe et moi. Nous veillons à ne pas arracher les racines et jamais ne prenons plus de fleurs que pour en faire à chacune un bouquet.

Au bout de quinze ou vingt minutes de marche loin de toute habitation, après un tournant abrupt où tout menace de se renverser dans le fleuve, on arrive à un lieu très délaissé. A l'ombre d'un pan de rocher droit comme une cheminée et tassée contre le chemin de fer, dort une mare d'eau parfaitement noire. Peut-être, au soleil levant, est-elle gaie et scintillante, mais cela ne doit guère durer, car l'espace est restreint, la montagne, haute, et le soleil a tôt fait de tourner derrière elle. Cette cheminée de roc est de toute évidence condamnée à vivre la majeure partie de sa vie dans l'ombre, et encore plus la mare à ses pieds. Pourtant, c'est ici qu'habitait le ouaouaron, dans cette eau froide et triste. Au reste, vous allez voir bientôt, à la manière dont nous avons fait connaissance avec lui, que ce n'était pas par misanthropie qu'il vivait si loin de tous.

Peut-être, comme les fleurs du chemin de fer, les onagres, les ancolies, les clochettes bleues, ou même comme le grand pin isolé de la falaise, avait-il fini, pesant le pour et le contre de la solitude, par y découvrir plus d'attraits que d'inconvénients, mais il n'en était pas pour cela devenu morose.

Nous venions donc par la voie ferrée, Berthe et moi, ce soir-là, causant gaiement, car nous nous sentons toujours libérées et joyeuses quand nous quittons gens et maisons pour prendre du côté de la nature sauvage; comme, du reste, nous nous sentons heureuses aussi, au retour, de revenir vers gens et maisons.

Sans doute, dans la pénombre du crépuscule, à cette heure pleine d'attention au monde, seul le bruit de l'eau et des pins se faisant entendre, l'insolite explosion par ici de voix humaines en un dialogue rieur et bruyant n'avait pu manquer d'éveiller la curiosité du ouaouaron. Et tout porte à croire que cette curiosité devint franc intérêt, car à peine arrivions-nous au tournant abrupt, tout près de la mare, qu'en jaillit le salut le plus cordial:

— Toung!

On eût dit, sous l'eau, un musicien facétieux qui pinçait sa guitare immergée.

Dans ce lieu désert, l'ombre du soir s'avançant vivement, l'amène salutation était si inattendue que, de surprise, nous ne savions vraiment que dire. A deux pas de l'eau noire, sans vie, sans une ride à la surface, je finis par répondre, à tout hasard:

— Toung!

Aussitôt vint la réplique:

— Toung! Toung!

Berthe et moi avons échangé un long regard. Avions-nous affaire à un farceur? Ou à un pauvre ermite si content d'avoir quelqu'un à qui parler qu'il ne savait plus trop ce qu'il disait? Nous allions tâcher de l'apprendre.

— Toung! Toung! Toung! dit Berthe.

Immédiatement, de la mare nous parvint la réponse:

— Toung! Toung! Toung! Toung!

Les syllabes étaient bien détachées; sans aucun doute possible on nous répondait chaque fois par un « toung » de plus. Était-ce la manière de converser des ouaouarons? Ou celui-ci était-il simple d'esprit? La chose était difficile à tirer au clair. Je m'y essayai encore une fois:

— Toung! Toung! Toung! Toung!

Alors de la mare sortit brièvement:

— Toung! Toung!

Le ton était quelque peu impatient d'ailleurs. C'était comme si notre interlocuteur, sans perdre son bon caractère, eût cherché à nous faire entendre: « Il faut parler bref. Vos phrases humaines à la fin deviennent trop longues. »

Cela nous donna à réfléchir. Sans plus insister, nous avons laissé là la conversation avec le ouaouaron, pour nous hâter jusqu'au ruisseau à truites, un peu plus loin, auquel nous aimons rendre visite une fois par été. Sous le couvert de larges feuilles humides, il mène un grand bruit de bouteille que l'on vide.

L'obscurité venant, nous ne nous y sommes guère attardées. Juste le temps de nous assurer que l'on vidait toujours joyeusement la bouteille sous les épaisses branches, et nous rebroussions chemin.

Il faisait presque nuit quand nous sommes repassées par la mare. Aucun son n'y trahissait de vie. Les oiseaux avaient suspendu tout mouvement. Même les pins frémissants murmuraient à peine plus, comme pour ennuyer le moins possible avec le récit de leur incessant ennui. C'était à douter de la conversation animée que nous avions eue ici, il y avait moins d'une heure, avec l'invisible occupant de la mare. Déçue, j'appelai à voix haute:

— Monsieur Toung!

L'endroit, solitaire, parut étonné de tant de bruit et ne daigna répondre même par le plus léger froissement de feuilles.

Berthe, à son tour, appela:

— Monsieur Toung!

Rien.

Je demandai:

— Monsieur Toung, dors-tu? Tu dors, monsieur Toung?

Alors, du lointain d'un profond sommeil, comme du fond des mers, nous atteignit un faible son

15

engourdi, étiré, amical encore, mais qui semblait sous-entendre: « Je dormais si bien... »

— T-O-U-N-G!

Nous n'avons pas eu le cœur d'insister. Nous sommes parties sur la pointe des pieds.

— Chez les ouaouarons, m'a dit Berthe, on ne sait pas, leur premier sommeil, comme chez les gens, est peut-être très léger. Moi, dit-elle, réveillée de mon premier sommeil, il m'arrive de ne pouvoir me rendormir.

Nous nous sentions un peu au regret d'avoir peut-être troublé le repos du ouaouaron.

— Il commence sans doute sa journée très tôt avec le soleil qui doit frapper la mare en tout premier lieu, ai-je fait remarquer à Berthe.

— De toute façon, dit-elle, jouer de la guitare sous l'eau, dans l'ombre perpétuelle, doit épuiser. A la nuit, monsieur Toung doit être mort de fatigue.

II

L'été suivant, nous nous hâtions, par un soir calme
et frais, pour atteindre avant la nuit la retraite de
monsieur Toung. L'heure de notre promenade coïnci-
dait, comme nous le recherchons, avec celle de la haute
marée. Le fleuve chante alors à pleins bords. Son chant
soulève notre pas. Pourtant, par la voie ferrée, celui-ci
ne peut être qu'inégal de dormant en dormant, un
court, deux longs, deux courts, un long, un peu comme
en langage morse traduit pour les pieds. La marche
devient donc vite fatigante, mais n'importe; un mal
qu'on s'impose pour le plaisir, c'est bonheur en fin
de compte.

Les vagues se défaisaient à bruit tranquille, très
doux, sans hâte, contre les blocs de pierre que tous les
ans les ouvriers du chemin de fer jettent le long de la
voie, en guise de remblai, pour l'empêcher de glisser
à l'eau. Néanmoins, elle y glisse peu à peu et sans
doute y finira-t-elle un jour, engloutie à jamais, car ce
n'est qu'à coups de pétition qu'on garde la vie à notre
petit chemin de fer.

Au loin, sur l'eau moirée du chenal, sans y laisser de sillage, passait un vieux pétrolier noir, tout aussi solitaire que la voie ferrée et qui ne semblait pas non plus avoir de destination.

D'une bonne distance, nous avons entendu le pin affligé. Au sommet du rocher, il se plaignait doucement. Il n'y avait pourtant presque pas d'air en mouvement ce soir-là. Où donc le pin en trouvait-il pour en faire sa chanson dolente? Peut-être des forêts profondes qui s'étendent au-delà des rochers dont il s'était un jour détaché pour venir vivre seul dans ce poste d'avant-garde.

Partout, comme des connaissances, nous retrouvions nos petites fleurs de l'été précédent: l'onagre au délicat visage qui ne s'ouvre que vers la fin du jour; les clochettes puisant dans le sol avare de quoi fleurir en un bleu très vif; puis les molènes aux longs cierges de Pâques; la gesse aussi, cette vieille compagne des chemins de fer presque désertés; enfin la rose sauvage. Apparemment ce qui ne meurt pas de la dureté de sa vie atteint mieux que dans la douceur robustesse et santé.

Même avant d'arriver à ce brusque tournant où poteau de téléphone, rail et roc menacent de chavirer, de loin, impatiente de renouer avec le ouaouaron, je l'appelai:

— Hé là! Monsieur Toung! Êtes-vous toujours de ce monde?

Je n'avais pas terminé que la réponse jaillit, joyeuse et claire:

— Toung!

Je ne cache pas que j'en eus le cœur chamboulé.

— C'est donc bien vous?

— Toung! Toung!

— Et moi? Vous me reconnaissez?

— Toung! Toung! Toung! Comme s'il pouvait y avoir plus de deux personnes à venir causer avec un ermite à l'heure où l'on s'ennuie!

— Et moi! demanda Berthe.

— Toung! Toung! Toung! Toung! l'assura aimablement monsieur Toung.

Ce fut comme l'été précédent. Notre ami n'allait pas au-delà de quatre « toung », après quoi, invariablement, il en revenait à deux. Il y avait là de quoi mystifier, et le ouaouaron semblait s'y complaire.

Il y eut cependant ceci de nouveau: cette fois le ouaouaron vint au bord de la mare pour nous parler. Il y monta aussi haut qu'il pouvait sans risquer de glisser du rebord humide. Ses pattes d'avant y trouvèrent un appui. Sous une très mince couche d'eau il nous étudiait avec une sorte d'amitié inquiète. Nous le distinguions parfaitement. Il était de belle taille, l'air épanoui, faisant bien quatre fois une grenouille ordinaire. Il nous parla en musique alors qu'il se

19

trouvait tout près, et ainsi nous avons pu voir comment s'y prend un ouaouaron pour jouer de la guitare.

Il gonfla, gonfla, gonfla sa gorge. La peau flasque se tendait comme celle d'une outre que l'on remplit d'eau. Les gros yeux saillaient sous l'effort. La poche de ses joues paraissait prête à crever. Nous avons vu ce qu'il en coûte de peine au musicien pour émettre un seul son de guitare. Enfin il lâcha l'air qui le rendait tout semblable à un ballon, et l'on entendit le son incomparable:

— Toung!

— Bravo! l'avons-nous félicité, mais sans en demander davantage.

Nous avions enfin compris pourquoi il ne faut pas chercher à entretenir de longues conversations avec un être comme monsieur Toung à qui elles imposent une fatigue énorme.

A regret tout de même, nous avons dit:

— Bonsoir, monsieur Toung. Portez-vous bien... et à la prochaine fois... monsieur Toung... tout en nous hâtant pour devancer la nuit qui vient vite à l'ombre presque perpétuelle de ces rochers.

Quelques « toung » plaisants, étirés, nous accompagnèrent, peut-être un peu tristes comme si, de l'eau sombre, on nous disait:

— Revenez. Ne laissez pas passer trop de temps... La vie est courte...

III

Une fois encore nous sommes retournées par un soir de temps calme à la mare secrète et noire au bas du roc droit comme une cheminée. Nous avions encore une fois pour nous et la marée haute et la fraîcheur de l'heure qui chasse les insectes, et, je suppose, un tour d'esprit qui nous disposait à goûter toutes ces choses.

L'eau clapota contre le remblai, le pin solitaire transforma en une douce plainte un peu d'air lui venant du lointain, les clochettes bleues agitèrent leurs grelots silencieux. Mais notre mare que nous atteignîmes aux dernières lueurs du crépuscule resta muette. Terriblement muette. Tout d'un coup elle faisait penser à l'eau ténébreuse et sans fond sous la trappe d'une oubliette.

Sur ses bords nous avons appelé à tour de rôle:

— Monsieur Toung? Êtes-vous parti? Ou faites-vous le mort?

Rien ne nous répondit que le pinson chanteur qui du reste interrompit subitement sa ritournelle, comme s'il en était venu, à force d'entendre demander des nouvelles du ouaouaron, à se rappeler: « C'est vrai, où donc est passé monsieur Toung qu'on n'a plus entendu par ici, si je ne me trompe, depuis des mois? »

Mais sans assez de cœur pour se préoccuper long-temps du sort du ouaouaron, il sauta d'une branche à l'autre, secouant ainsi le buisson de sureau dans lequel il se tenait à l'abri, et reprit sans plus sa ritour-nelle.

A qui d'autre demander des nouvelles?

Je pris une pierre. Je la lançai avec force au milieu de la mare. L'eau rejaillit. Les cercles à la surface allèrent grandissant. Au même moment, d'une touffe de broussaille au pied de la montagne, s'éleva un oiseau à longues pattes qui disparut derrière le roc.

Berthe qui a l'œil vif avait reconnu un petit héron.

Toute pensive, elle constata:

— Ça pourrait être le héron qui a eu monsieur Toung!

— C'est bien ça, c'est bien ça, nous renseigna en passant une vieille corneille habituée des lieux.

Puis elle avait doublé le cap, et le silence qui nous entoura était pareil à celui qui se fait, une fois l'histoire racontée, le dénouement connu, le mot *fin* apposé au bas d'une page.

Nous revenions, cahin-caha, le pas tantôt allongé pour atteindre une traverse plus espacée, tantôt raccourci pour ne pas buter sur la prochaine. Nous n'avions plus de goût à parler. Le vieux pin au sommet du rocher chantonnait encore faiblement, par bribes, entre des silences où il semblait glisser dans le sommeil. L'eau clapotait toujours allègrement contre les gros blocs du remblai. De loin, à certains tournants, portés sur un courant d'air vif, nous parvenaient quelques échos encore du joyeux ivrogne, sous les larges feuilles, buvant à même le goulot.

Mais pour nous c'était maintenant un peu comme si ce coin du monde s'était dépeuplé.

La Gatte de monsieur Émile

Ce devait être un mot inventé par monsieur Émile. Il en inventa beaucoup au cours de sa vie. C'était un homme porté à se créer des expressions à son goût pour désigner des choses selon lui mal nommées, ou dont il ne connaissait pas la définition d'après le dictionnaire. De même il fut ingénieux à tirer sa subsistance d'un pays parcimonieux. C'était au temps où l'on parvenait à vivre du produit de multiples petites activités: le sucre d'érable au printemps; un peu de foin l'été; l'anguille l'automne; pendant l'hiver la coupe du bois.

La ferme de monsieur Émile se tenait à l'étroit au bas de la montagne. Elle se composait de petits champs de toutes formes distribués de part et d'autre de la route et d'obstacles naturels: un losange en contrebas du chemin de terre; un carré près de la maison; plus loin, le long du ruisseau, une sorte d'arc très infléchi; même un rond autour d'une très grosse pierre que l'on n'était jamais parvenu à déplacer. De tout cela monsieur Émile tirait bon parti: du carré, des pommes de terre; de l'arc tendu, du beau trèfle; du rond autour de la pierre, du millet en abondance. Et de toutes sortes d'autres petits coins perdus, du foin récolté à la faux.

Vers la fin de l'été rien n'était plus propre à voir que la ferme de monsieur Émile alors que lui-même, la pipe au bec, sa grande faux en main, l'aiguisoir dans la poche de son pantalon, achevait de nettoyer la bordure de ses innombrables clos. Aucune herbe bientôt ne dépasserait de ces champs lisses comme la vieille pierre qu'ils entouraient. De sa gatte seulement il n'était parvenu à tirer profit.

Un vilain bout de terrain spongieux, bosselé, toujours mouillé, il faisait pitié à côté des champs si bien tenus. Il n'y avait jamais eu moyen de l'assécher. Rien n'y poussait qu'une sorte de grossier chiendent. Néanmoins, pour faire propre, monsieur Émile clôtura sa gatte. Il le fit à la manière d'autrefois, de perches en chevrons jointes tous les dix ou douze pieds. Ainsi proprement délimitée, la pauvre gatte humide et sombre eut tout de même l'air moins abandonné. Mais longtemps encore elle devait rester improductive, la honte de monsieur Émile qui ne pouvait la cacher aux regards, exposée comme elle était, au bord de la route, à la vue de tous.

Vint un jour où, ne pouvant mettre avec les autres une vache rétive, monsieur Émile eut l'idée de la conduire en pénitence pour quelques jours dans la gatte. Il ne se doutait pas qu'il accomplissait un geste riche de conséquences. Car la vache, une dénommée Rouquette, en un rien de temps arracha le chiendent qui étouffait là toutes autres plantes. Ensuite, s'ennuyant toute seule, elle se prit à tourner, tourner sur elle-même, cent fois, mille fois. Elle creusa bien davantage sous ses sabots les trous du sol, et partout y répandit de sa bouse.

Ainsi se prépara le miracle du printemps suivant.

Alors, dans la gatte désolée, trouée comme une vieille écumoire, apparut une plante par ici jusqu'alors inconnue. Sur chaque bosse à peu près à sec du terrain boueux, elle fleurit en grosses touffes de fines corolles du rose merveilleux de certains couchants dans les campagnes, On aurait dit l'ancêtre modeste du glorieux laurier-rose. C'était le kalmia, ainsi nommé par Linné, en l'honneur de Peter Kalm, naturaliste suédois venu dénombrer, au XVIII° siècle, la flore de Nouvelle-France. Recouverte de vieux rose, la gatte prit un aspect jeune et gai.

Mais d'où venait la gracieuse fleur? Au loin, dans sa nombreuse colonie de la Baie des Rochers, avait-elle entendu parler de cette gatte de monsieur Émile, devenue des plus propices à son espèce depuis que la Rouquette y avait tourné et l'avait engraissée? Y fut-elle amenée par le vent? Ou par des oiseaux amis? Ou bien la graine s'y trouvait-elle déjà, enfouie profondément dans le sol, sans aucune chance de remonter jamais d'elle-même à la lumière? Et c'est la Rouquette, périssant d'ennui, qui, à force de piétiner le sol, aurait ramené la graine en surface? Pour ma part, c'est vers cette version que j'incline et je crois aussi, qu'ayant déterré la graine, la Rouquette la nourrit ensuite de sa bouse.

La fleur du kalmia ne dure qu'un mois environ. Mais l'arbuste avait pris pied vigoureusement dans l'ancienne gatte et, le printemps suivant, les touffes roses sur chaque bosse à sec étaient déjà deux fois plus fournies que l'année précédente. Les gens du pays savaient dès lors où se procurer la jolie fleur qui pour les uns évoquait l'azalée, pour d'autres le merveilleux oléandre. Sur beaucoup de fenêtres, passant par la route de terre, on pouvait apercevoir, parmi les géraniums et les fuchsias, des grappes de fleurs de kalmia disposées dans de vieux pots de moutarde ou de beurre d'arachide.

Mais les plantes sont comme les humains. Un groupe vit-il heureux dans un endroit, tout le monde veut y prendre pied. A peine le kalmia installé, il y eut partout autour des iris bleus. Ils ne se nuisaient pas cependant, car, alors que le kalmia recherchait l'à peu près sec, l'iris bleu se plaisait au contraire dans les fonds bourbeux. Des renoncules, nommés boutons-d'or, se tassèrent entre l'un et l'autre. La vieille gatte qui avait été toute rose le printemps passé, fut, cette année-ci, de couleurs variées. A l'automne, les solidages et les asters à longues feuilles firent cercle autour de l'eau morte qui brillait faiblement dans tous les petits creux de la gatte. Et ces minuscules trous de la gatte, à peine plus grands qu'un œil, trouvèrent moyen de refléter les longs plumeaux dorés des solidages, le fin lilas délavé des asters, un peu de ciel, des nuages passant et même à l'occasion le vol de quelque oiseau de terre ou de mer.

Ainsi, parce que monsieur Émile, qui était soigneux, avait entouré de perches ce bout de champ perdu, parce qu'il y avait mené un jour une vache peu commode, voici que le terrain inculte était en passe de devenir ce qu'il y avait de plus accueillant dans le pays. Jusqu'au gel persistaient ici des fleurs, de la couleur, une sorte de vie plus tendre et plus douce qu'ailleurs.

Mais, me direz-vous, l'hiver, sous la neige, au grand froid, dans la désolation du soir tombant, sûrement alors la gatte doit avoir l'air de ce qu'elle est, une vieille éponge saturée d'humidité!

Eh bien non! justement. Car, vous vous souvenez, la gatte se trouve au bout du pays, tout au pied de la montagne. En sorte que le soleil avant de tourner le cap s'arrête toujours un moment sur ce champ. Dans cet instant, il l'illumine en entier, comme sous un singulier projecteur; alors la neige blême et sans vie devient au centre rose comme le kalmia, sur les bords bleue comme l'iris et, çà et là, elle s'enflamme de l'or des solidages morts. Pendant trois ou quatre minutes, chaque jour, le pauvre champ rayonne des plus merveilleuses couleurs de l'été retrouvé. Puis sombre dans la nuit.

Les Vaches d'Aimé

Je coupe à travers champs pour me rendre chez mon voisin. Les vaches d'Aimé à mon passage s'arrêtent de brouter. Elles lèvent la tête, me regardent, me suivent des yeux comme pour bien me situer. Je ne sais pourquoi on les dit bêtes. Leur regard, alors qu'elles m'examinent à fond et notent des détails, indique clairement une sorte de réflexion:

« Ah bon! C'est la dame du chalet, qui s'en va encore chez notre maître. Celle qui vient de la ville. Qui passe l'été par ici. »

Et de se remettre à brouter tranquillement. La preuve que tout doit se dérouler à peu près de cette façon dans leur esprit, c'est que si je repasse dix minutes plus tard elles me regardent un bref moment mais sans prendre la peine de cesser de brouter et de lever la tête, comme si elles concluaient: « C'est la même que tantôt. »

Mais si je ne repasse que deux ou trois heures plus tard, alors le manège recommence: les vaches cessent de brouter; elles me suivent des yeux, m'examinent

35

avec une curiosité renouvelée. Et puis enfin: « Ah! mais oui! C'est la dame de ce matin. Celle du chalet. Celle qui vient de la ville. Celle qui va chez notre maître cent fois par jour. »

C'est comme si elles manquaient de mémoire plutôt que de bon sens.

Ou comme si elles étaient tout aussi distraites que certaines gens qui ne « replacent » pas leurs connaissances.

Ma théorie ne tient plus. Ai repassé deux fois aujourd'hui par les champs à une heure d'intervalle. La deuxième comme la première fois les vaches ont cessé de brouter. M'ont longuement examinée. Dévisagée pour ainsi dire. Ont manifesté la même curiosité que deux heures auparavant. Que la veille.

J'en ai parlé à Aimé.

— Me reconnaissent-elles, pensez-vous? Reconnaissent-elles les gens?

— Ah oui!

— Alors?

— ...

— Alors! Elles me trouvent donc si étonnante?

Aimé, poliment:

— Ça se peut... des fois!

Jeannot-la-Corneille

I

Rien n'est plus difficile à distinguer qu'une corneille d'une autre corneille. Si j'ai fini par reconnaître Jeannot, c'est qu'il ne manquait jamais, les jours où chante le vent du sud-ouest, de venir se poser à la fine pointe de mon cerisier de Pennsylvanie pour s'y laisser longuement bercer, l'arbre sous ce vent d'été n'étant que balançoire dans le ciel.

Aucun arbre chez nous ne lui est comparable. Nous avons commencé à lui donner sa forme alors qu'il était petit encore, taille par ici, redresse par là, corrige ceci, et, comme pour les humains quand on s'y prend à temps et avec douceur, nous avons obtenu des résultats stupéfiants. L'arbre a une telle allure qu'on le compare toujours à quelque chose d'autre qu'à un arbre. Au repos, le vent y jouant en sourdine, c'est une lyre. D'en bas, vu d'une certaine distance, il a tout l'air d'un vase débordant de fleurs posé sur le rebord d'une corniche au-dessus de la mer. Sous le vent fou lui rabattant son feuillage en avant comme sur un visage, il fait penser à une jeune femme, chevelure répandue, qui la secoue et la secoue avec des gestes enjoués de la tête. C'est cependant sous le vent du sud-ouest, Jeannot-la-Corneille suspendu à sa pointe flexible, que notre cerisier de Pennsylvanie a le plus de grâce.

Beaucoup de nos amis, quand ils nous arrivent pour la première fois, s'écrient: « Quel bel arbre! D'où vient-il? De quel pays? »

Au début, nous disions que c'était un petit arbre de rien du tout comme il en pousse tout le long de la falaise, un indigène, rien de plus. Qu'il n'y avait eu qu'à le tailler un brin, l'encourager, l'arroser, l'engraisser. Maintenant nous prenons pitié de l'effarement que ces simples propos amènent sur le visage des gens, comme s'ils ne pouvaient supporter l'idée qu'il leur est donné d'en faire autant. Sans doute, c'est d'avoir à en faire autant qui les accable. Quand nos visiteurs s'exclament: « Quel arbre! Vous avez dû le faire venir de loin... » nous ne disons plus rien, pour faire croire le contraire. Mais en un sens il est vrai que notre cerisier de Pennsylvanie vient de loin.

Les oiseaux lui sont naturellement très attachés. La plupart, toutefois, il faut en convenir, le sont surtout par intérêt. Il y a quelques années, j'avais remarqué que les jaseurs des cèdres, attrayants oiseaux à coupe de cheveux ras, ne manquaient guère de venir presque tous les jours au mois de juillet, sept ou huit ensemble, se percher çà et là dans l'arbre. Je finis par constater qu'ils venaient y vérifier si les petits fruits du cerisier, qui commençaient à se colorer, seraient bientôt bons à manger. Un jour enfin ils le furent et en un instant l'arbre fut dépouillé net. De tout l'été je ne revis plus les jaseurs des cèdres.

Mais l'été suivant, ils se firent jouer un bon tour. Six grands geais bleus formant compagnie eurent connaissance qu'il y avait chez nous de ces petits fruits, à leur goût, exquis. Un matin, à travers les grappes rouges, j'aperçus dans l'arbre d'éclatants uniformes bleu cobalt. Un cri d'âme en peine jaillit d'un peu plus loin, où se tenait en sentinelle un septième geai, et rien ne convient moins à ce splendide uhlan que son cri à vrai dire horrible. Attablés, les six geais festoyaient. Les baies n'étaient pourtant pas tout à fait mûres. La veille, les jaseurs des cèdres étaient passés en goûter et avaient décidé d'attendre un jour encore. Mal leur en prit! Quand ils revinrent le lendemain, plus rien à se mettre dans le gosier.

Mais, à leur tour, l'été suivant, les geais bleus se virent devancés. Les gros-becs jaunes, moins fine bouche, c'est le cas de le dire, que les geais gloutons, arrivèrent tôt un matin de juillet, et une, deux, trois, eurent nettoyé le cerisier de ses petits fruits encore verts. Peut-être en ont-ils attrapé une indigestion. Grand bien leur en fasse!

Et que j'en vienne donc enfin à mon sujet, car, si j'ai raconté les razzias successives, c'est pour montrer la différence entre Jeannot et les autres oiseaux. Lui ne venait dans l'arbre ni pour manger ni non plus

pour dormir. Mais uniquement, en autant que j'ai pu
le constater, par amitié.

Sans doute il chapardait ailleurs. Un peu à droite,
un peu à gauche, de manière que cela ne se voie pas
trop dans aucun jardin: par exemple une feuille de
laitue panachée chez Lucienne, ma troisième voisine —
et comment une corneille n'apprécierait-elle pas cette
savoureuse laitue que nous, d'alentour, n'arrêtons pas
de lui quémander; peut-être quelques cerises de France
bien juteuses chez Berthe; et, par-ci par-là, chez les
gens qui ont encore le cœur d'en cultiver, le délice
des corneilles, de ces graines de tournesols géants tels
qu'il y en avait naguère partout. Mais chez moi
Jeannot ne prenait rien.

Il ne venait d'ailleurs que les jours où soufflait
le vent berceur et que ployait sans fin notre petit arbre
contre l'horizon de mer. Les jours sans vent, sans
musique, les jours « morts » où je m'ennuie moi-même
— peut-être d'éternité — Jeannot ne se montrait pas.
Puis reprenait de tous côtés le chant des feuillages
bruissants, et j'étais sûre de voir arriver ma corneille.
Peu après, en effet, dans le ciel intensément bleu je
distinguais un point noir approchant.

Quelquefois, il avait de la difficulté à naviguer
pour atterrir juste au milieu du cerisier. Il devait se
reprendre encore et encore, plusieurs fois déporté au
loin. Il glissait alors sur l'aile, retournant au bas de la
montagne où l'air est toujours calme, retrouver son
souffle et son élan. Enfin il parvenait à descendre droit

sur son petit perchoir. C'était, tout en haut de l'arbre, deux souples branchettes qui formaient une fourche menue. L'oiseau, une fois installé, son équilibre assuré, se détendait, et on le voyait alors se laisser porter sans crainte de part en part de l'horizon.

C'est ainsi que j'appris, il y a quelques années, à reconnaître à certains signes infaillibles une corneille amie.

Mon oiseau ne s'endormait pas dans l'arbre. A la lorgnette je voyais ses yeux briller dans sa face noire, si luisante était-elle. Il ne lançait jamais non plus de ces « cââ » qui agacent les nerfs. Il s'y tenait en silence. Il avait l'air d'être là uniquement pour rêver tout en contemplant les montagnes, puis le fleuve clapoteux et, au loin, l'horizon de la rive sud toujours quelque peu embrumé par jours chauds. Tel un négrillon cramponné à son mât de vigie, il passait et repassait à travers le ciel.

A d'autres caractéristiques: une façon de se tenir la tête de côté, une certaine raideur dans l'aile droite comme si elle avait été naguère légèrement blessée, je reconnaissais de mieux en mieux ma douce corneille. J'en vins à suivre à peu près les faits et gestes de sa vie.

Tout d'abord, où Jeannot passait la nuit. C'était dans un arbre, mais aussi différent de notre petit cerisier que le jour de la nuit. Un grand arbre triste, à l'abandon, mort d'un côté, à nombreuses et longues branches, les unes sèches, les autres feuillues, un très vieil érable où il y avait place, étage par étage, pour la tribu entière qui s'y rangeait, la nuit venue, par familles. Au fond d'un champ sauvage, sur un tertre désolé, en un endroit écarté avec des bois sombres en arrière plan, il était connu depuis toujours comme l'Arbre-aux-Corneilles. Quand elles y étaient assemblées au crépuscule, l'arbre déjà sombre de nature prenait un air vraiment sinistre avec ces petites silhouettes en grand noir pressées les unes contre les autres tout le long des branches, même les squelettiques. De quoi avait-il l'air alors? Eh bien! d'un épouvantail à corneilles!

A celles-ci qui ne manquent pas d'humour ni de drôlerie, il plaisait peut-être d'habiter un arbre fait comme pour les effrayer.

Au soleil levant, rien, toutefois, n'était plus gai pendant un court moment que ce vieil arbre avec tout son monde en branle-bas de départ, se donnant le mot à « cââ » retentissants. La lumière neuve du jour éveillait des irisations dans les plumages lustrés que les plus vaniteuses lissaient encore à coups de bec. Puis elles s'élevaient ensemble dans le ciel et le vieil érable retombait dans son morne abandon.

Les corneilles alors se débandaient. Les unes, sociables, gagnaient la jolie ville de Baie-Saint-Paul où elles grapillaient dans des jardins bien entretenus; d'autres prenaient le côté inhabité et sauvage vers la mare esseulée du ouaouaron, monsieur Toung;

quelques autres encore restaient dans leur village de Petite-Rivière-Saint-François à survoler la montagne ou bien le bord du fleuve.

Mon Jeannot était plutôt solitaire; le jour, il ne rejoignait guère sa parenté. Encore moins fraternisait-il avec les goélands assemblés en groupes compacts sur les rochers que le reflux de la marée avait découverts. Quelques corneilles s'y risquaient pourtant, et rien n'était plus curieux à voir, dans l'immensité déserte du fleuve, que cet étroit compagnonnage, à la pointe des brisants, des oiseaux noirs et des oiseaux blancs. Les examinant à la jumelle, je n'ai jamais pu découvrir toutefois qu'ils se parlaient. Ils se tenaient ensemble, c'est vrai, mais apparemment ne communiquaient le moins du monde. Et de loin, ainsi assemblés sans pour autant se connaître, ils ressemblaient à des humains.

Que faisait mon Jeannot tout le jour? Sans conteste, si le vent était propice, pas grand-chose autre que de se laisser bercer. Il pillait aussi un peu dans les jardins à droite et à gauche. Comme c'était sur un territoire assez réduit, il finit par se faire remarquer. J'entendis des propos menaçants au cours de l'été contre Jeannot.

— C'te maudite corneille-là, maugréa monsieur Simon, mon voisin, je m'en vas lui faire son affaire!

A la décharge de monsieur Simon et de quelques autres ennemis des corneilles, il faut dire qu'ils avaient eu beaucoup de mal cette année-là à sauver leurs fruits et légumes des chenilles, des vers, des doryphores. Et maintenant les corneilles passaient pour leur en ravir le reste sous le nez. Ce qui me parut injuste, ce fut de voir retomber tout le blâme sur le dos du pauvre Jeannot, peut-être moins prompt que d'autres à déguerpir quand accourait monsieur Simon en brassant l'air à grands gestes et criant: « Maudite corneille! Maudite corneille! »

Au reste, comment monsieur Simon pouvait-il s'imaginer avoir affaire tout le temps à la même corneille, lui qui n'avait pas appris à distinguer l'une des autres par les yeux de l'amitié?

Toujours est-il que, croyant s'en prendre chaque jour à la même corneille, monsieur Simon par ses propos injurieux se trouva cet été-là à blesser beaucoup d'oiseaux des plus écervelés aux plus âgés et aux plus dignes. La tribu finit par se liguer pour harceler sans cesse un homme aussi peu perspicace. Il y en avait presque toujours une à piller chez lui, cependant qu'un complice attirait ailleurs son attention.

Il en vint à s'embusquer dans sa haie de lilas, son fusil chargé à la main. Un après-midi, à travers le bruissement des feuillages, je crus entendre un coup de feu provenant du jardin voisin. Je fus bien inquiète pendant quelques minutes.

Mais bientôt, point noir dans l'immensité radieuse, arrivait Jeannot. Il arrivait d'ailleurs de la direction opposée à celle du jardin dangereux. Pour aujourd'hui du moins il n'était pas dans le coup monté contre monsieur Simon.

Il se laissa tomber sur son perchoir comme une fleur qui choit de sa tige. Il resta bien vingt minutes, je crois, ce jour-là, blotti dans son faible creux à se promener à plein ciel.

II

Le mois suivant fut l'un des plus aimables dont je puisse me souvenir. Jamais pour ainsi dire ne tarissait le vent du sud-ouest remplissant l'air du bruissement d'une rivière qui aurait coulé à travers des jours et des jours. Toutes les créatures vivantes se reposaient au son de cette étrange et mystérieuse rivière, Jeannot dans le cerisier, moi dans ma balançoire, les vaches d'Aimé, immobiles à ma barrière, qui se trouvaient délivrées pour aujourd'hui encore des mouches et des taons. A tous moments, porté sur l'air en mouvement comme sur une haute vague sonore, me parvenait le tintement mélodieux de la clochette que la Trotteuse mettait en branle lorsqu'elle tendait le cou pour atteindre par-dessus la haie une feuille fraîche.

Ce vent béni, je l'imagine né dans un lointain pays heureux où les êtres ne se donnent plus la chasse, mais vivent tranquilles les uns à côté des autres. D'ailleurs, je finis par m'apercevoir que c'était ces jours-là seulement que sur les rochers à découvert, au loin de l'eau frémissante, des oiseaux noirs se joignaient aux oiseaux blancs.

Mon Jeannot arrivait maintenant presque chaque jour à heure fixe. Il venait se reposer entre deux rapines. Des riens: une feuille de laitue chez Lucienne; une fraise chez Berthe; mais, ce qui était plus grave, trois becquées prises à même une tomate dont les plaies n'allaient peut-être jamais se fermer. « C'te maudite Grand-Noire! » croyais-je entendre au loin.

Chez moi, en toute sécurité, Jeannot, ailes collées au corps, tête un peu rentrée, naviguait de part en part du ciel.

Il y avait des accalmies. Alors, le vent se taisant, la musique des feuillages tombant d'un coup, on reprenait pied dans ce qu'on appelle le « réel » et il paraissait insuffisant, étroit, intolérable. Mais bientôt renaissait à pleine atmosphère la musique stéréophonique de ces journées d'été à la campagne.

En vérité, elle était complexe et exigeait une nombreuse participation. A main gauche de chez moi, la maison de ma première voisine se trouve enserrée par un groupe de vieux saules à lourdes branches. C'est là que le vent attaque. Dans les ramures basses et souvent difformes, en s'y frayant un passage, il prend cette voix profonde d'une puissante rivière. On entend cette grande eau libre mais contenue se déverser on ne sait où. C'est la basse sur laquelle se détache la voix d'instruments plus légers. Tout d'un coup, le vent a franchi la route et donne le signal à mes pins. Rien n'est plus soyeux que leur masse de fines aiguilles dans lesquelles le vent creuse remous après remous.

Au fond de ces remous naît le son le plus curieux à naître jamais d'un arbre; c'est, perdu dans leur profondeur, comme le passage d'un petit train de campagne, très au loin, peut-être seulement dans le souvenir. Ensuite, la musique se communique à mon bois de trembles emmêlés à des bouleaux blancs. Ils sont une trentaine à vivre ensemble au sommet d'un ravin. Dans ce groupe jeune encore le vent évoque le ruissellement clair d'un frais ruisseau. Ruisselle, ruisselle, un jeune ruisseau ne cesse de ruisseler au fond de mon bois de trembles et de bouleaux.

A la fin, se joignent tous les instruments pour reprendre ensemble le thème de l'été triomphant. Tout est paix ces jours-là, même si s'agitent, ploient et se démènent comme des musiciens sous le bâton du chef d'orchestre les créatures végétales, et jusqu'aux petites herbes au pied des arbres, prises elles aussi de folie, qui courent et courent sur place sans trouver le temps de se redresser. Alors, la rivière dans les saules perclus, le train au loin dans les pins, le ruisseau vif à la lisière du ravin, chacun raconte une mystérieuse et secrète entente.

Par ces jours de grande musique, mon cerisier de Pennsylvanie, silhouette agitée contre l'horizon du fleuve, en dégage à peine son chant mat.

Sans donc contribuer beaucoup à la symphonie du monde, il se balance du moins à son rythme, toute voilure dehors. L'oiseau noir à son bord, moi dans ma chaise au jardin, nous avons passé bien des heures à voyager ensemble sur la même vague du temps.

III

Mais hélas! Jeannot vieillissait. Il devenait moins prompt à se tirer des mauvais pas. Plus d'une fois déjà j'avais entendu une balle siffler dangereusement près de lui lorsqu'en passant il s'arrêtait prendre une bouchée chez monsieur Simon. Je lui avais dit aussi de se méfier, que le malheur lui viendrait de ce côté-là. Mais il ne prenait pas volontiers conseil des humains. Ni non plus d'ailleurs de sa tribu. C'était un solitaire.

Je l'attendais, ce jour-là, de ma place, au jardin. L'air brassait les feuilles, les aiguilles, les herbes. C'était une journée en tout point faite pour plaire à Jeannot. Alors, à travers cet ensemble vocal qu'imite parfois si bien le vent dans le haut ciel, je crus entendre le bruit assourdi d'une détonation. Que je fus inquiète tout à coup, scrutant de part en part le ciel bleu en entier! Mais bientôt, quel soulagement, je vis poindre la petite silhouette familière. Et j'allais rire encore une fois des efforts infructueux de monsieur Simon, lorsque, malheur, l'oiseau piqua droit vers le sol comme un avion en détresse. Ah! mon petit ami, ne tombe pas du moins sur la route où auto après auto roulera sur ton corps broyé...

Il déploya un effort surprenant. Il se rétablit tant bien que mal. Il atteignit un courant d'air qui le porta presque chez moi. Juste avant d'y parvenir, il manqua de choir. Il remonta malaisément, se traîna, si on peut dire, sur l'aile au-dessus du cerisier de Pennsylvanie. A ce moment, l'air cessa presque tout mouvement comme pour aider l'oiseau blessé. Son petit perchoir le reçut. Il y serra encore une fois les pattes. Alors reprit le vent doux qui le promena à travers le ciel.

Puis, au cœur de l'arbre, tomba la petite forme soudain toute molle. La robe d'un si beau noir prit feu à un rayon de soleil qui traversait le feuillage. Elle luisait entre les branches comme un charbon poli.

Aussitôt les goélands annoncèrent haut dans le ciel que Jeannot était mort. Il ne s'était pourtant jamais tenu avec eux dans un compagnonnage insolite sur le roc à découvert, quand descend ou remonte la marée. Néanmoins ils furent les premiers à le regretter.

— Jeannot est mort. Jeannot est mort.

Ainsi l'apprit un gros détachement de corneilles tout juste rentrant de Baie-Saint-Paul, qui continua sur sa lancée, jusque chez monsieur Simon, en criant:

— C'est lui! Pas d'autre que lui!

Jamais en si peu de temps n'ai-je vu autant d'oiseaux surgir de partout à la fois. Il en venait des terres élevées entre le village et la crête de la montagne. Il en venait de replis plus éloignés en arrière de cette première crête. Il en venait des terres basses. Et tous convergeaient sur le jardin de monsieur Simon.

Le pauvre homme crut peut-être les oiseaux devenus fous et son dernier jour arrivé. Il accourut en battant l'air de ses bras et criant à s'époumonner:

— Allez-vous-en! Allez-vous-en!

Loin de s'en aller, les oiseaux, à la fin de chaque grand cercle qu'ils décrivaient dans le ciel, descendaient un peu plus bas jusqu'à frôler monsieur Simon. Et lui criaient, pour leur part:

— Cââ! Cââ! Honte et pitié! Pour une tomate nous avoir tué Jeannot!

Enfin ils quittèrent ce lieu pour eux à jamais détestable. Ils vinrent chez moi, en tournant autour de la petite forme noire dans les branches, chanter les funérailles de Jeannot. Puis le vent la fit tomber sur le sol. Alors je demandai à Aimé de venir. Ensemble nous avons creusé une fosse au pied du cerisier de Pennsylvanie. C'est là que repose Jeannot.

Et depuis lors, en passant, les corneilles ne manquent jamais de me saluer:

— Cââ! Cââ! Cââ!

La Trotteuse

Aujourd'hui les trois vaches d'Aimé se tiennent les pattes dans l'eau du minuscule étang près de chez moi. Elles broutent les fleurs qui entourent ce point d'eau, surtout des lysimaques en cette saison. De temps à autre, l'une se penche, goûte l'eau tiédie par le soleil, la déguste plutôt qu'elle ne la boit. La Trotteuse porte au cou la clochette qu'Aimé a couru d'une *ripouste* lui acheter à Baie-Saint-Paul, afin de la repérer lorsqu'il l'appelle et qu'elle reste des heures cachée dans les aulnes à refuser de se montrer.

— Je m'en vas toujours bien savoir au moins où elle se tient, la bougraise.

Depuis tinte la clochette au moindre mouvement de la bougraise et toujours on sait où elle est. Du reste l'envie de se cacher semble lui avoir passé maintenant que le grelot à son cou annonce sa présence où qu'elle aille.

Le timbre en est mélodieux, doux et charmant à entendre.

Si c'est le grand calme, il n'y a pas d'autre bruit et on en est tout réjoui. S'il fait du vent, le son émerge à peine du brassage des feuilles. Quelquefois il nous parvient de si loin qu'on a l'impression que c'est d'un autre temps, d'un autre monde.

Mais aujourd'hui les trois vaches se sont rapprochées les unes des autres. Les pattes dans l'eau, elles rêvent de longs moments, les yeux à peine levés de terre, fixés devant elles sans expression, telles bien des gens que je connais lorsqu'ils poursuivent sans trop le savoir une idée vague.

Car, depuis que la Trotteuse sème de la musique autour d'elle, curieusement les deux autres vaches ne la quittent plus. Ainsi, quand Aimé repère la Trotteuse, du même coup il repère les autres.

Il y a un instant les trois vaches se sont approchées de ma barrière, comme mues par la curiosité soudaine de savoir ce que je deviens. Si seulement elles apprenaient que j'écris sur elles!

La clochette a tinté fortement, tout près. Et pourquoi cela a-t-il brusquement éveillé en moi le souvenir — que je croyais mort — du temps où, enfant, lorsque j'arrivais pour les vacances d'été chez mes oncles sur leurs fermes au Manitoba, j'étais accueillie dès en descendant du train par le drelin d'une cloche à main qu'agitait sur le seuil l'hôtelier venu annoncer un repas chaud et tout prêt... et que j'en étais rendue heureuse mystérieusement comme si nous étions conviés ensemble, les inconnus sur le quai, à une sorte de repas de fête, d'amitié.

Parce que Aimé, fâché contre sa vache, lui a passé au cou une clochette, voici que m'est redonnée cette curieuse joie de ma vie dont je ne sais toujours pas au juste de quoi elle est faite et pourquoi elle m'enchante encore.

Ames en peine

Ce pluvier kildir était bien l'âme la plus inquiète de toutes les créatures qui existent. C'est-à-dire lui et sa femme. Car à eux deux ils n'en faisaient qu'un. Madame Kildir pleurait-elle que monsieur Kildir pleurait aussi.

Ils se trouvèrent, cet été-là, à habiter non loin de chez moi, auprès d'un peu d'eau au bord de la route. Ce n'était pas une mare, encore moins un étang, en vérité rien de plus qu'une flaque d'eau de pluie et de neige. Autour, cent fois coupés, cent fois repoussés, des aulnes formaient une barrière peu haute mais touffue; c'était elle qui retenait l'humidité.

Or, avant d'être un trou, cet endroit, curieusement, avait été une petite élévation caillouteuse. Mon voisin Aimé commença, il y a quelques années, à y prendre du gravier pour les besoins de la voirie ou pour son propre usage. A la longue, il en résulta ce creux qu'emplissait au printemps l'eau de la fonte des neiges et des fortes pluies. L'été, elle baissait mais jamais jusqu'à découvrir complètement le fond. Il en restait toujours au moins assez pour tendre un miroir au placide paysage d'alentour. Or, comme le fond était sablonneux et l'eau propre, le miroir offert au ciel serein, aux pousses fraîches des aulnes, se gardait limpide et réfléchissait tout ici avec une parfaite fidélité. L'humble petit coin de pays était joli en fait et tout aussi joli dans son miroir.

Et il ne cessait d'embellir. Ainsi, peu à peu, se forma autour de l'eau une bordure de fleurs.

Les premières à venir furent, je pense bien, les lysimaques. Le vent aida leur migration assez difficile, depuis le bas de la côte, où elles avaient toujours vécu dans un pré mouillé, jusqu'à notre étroit plateau au sec, sans grand attrait jusque-là pour elles. Mais l'apparition de ce point d'eau au milieu des aulnes changeait apparemment tout. Dès le début, les lysimaques, depuis longtemps entassées en bas, émigrèrent en force, si bien qu'elles furent assez abondantes pour ceinturer en entier l'eau d'une frange de fines fleurs du jaune le plus délicat. Ou plutôt de deux franges, l'une à l'endroit, l'autre à l'envers dans l'eau, et dont on aurait été en peine de dire laquelle avait l'air le plus vrai.

L'année suivante apparurent les iris. Les uns entrèrent carrément dans l'eau; plusieurs restèrent un peu timidement sur les bords à mêler leur bleu de rêve au jaune doux des lysimaques. Mais avant tout ce monde devaient être arrivés les roseaux, puisqu'ils étaient déjà une bonne centaine à faire le grand tour, un peu clairsemés à certains endroits, à d'autres tout enchevêtrés.

On en était là, et la claire surface de l'eau, avec sa double ceinture de fleurs et de jeunes roseaux, se donnait l'air d'un semblant de lac, lorsque arriva, un beau matin, madame Libellule en robe d'un bleu tendre, pour évoluer en silence, sans plus jamais le quitter, dans ce tout petit coin du vaste pays.

Plus de créatures qu'on ne le croit aiment donc vivre en paix autour d'une eau paresseuse qui ne coule même pas! Des grenouilles y étaient déjà avec leurs têtards; aussi des insectes patineurs qui laissaient un moment à la surface la marque de leurs zigzags; enfin une araignée; tous gens paisibles, de bon voisinage, dont le caractère s'accordait à merveille avec la tranquillité des lieux.

Mais, par un jour de mai, y descendirent deux voyageurs du Minnesota, monsieur et madame Pluvier Kildir, et l'endroit perdit à jamais la paix et l'harmonie qui en avaient fait le renom loin déjà dans le monde.

A peine en effet eurent-ils arrangé une sorte de nid à même le sol, dans la broussaille des aulnes, à peine madame Kildir y eut-elle pondu quatre œufs, qu'elle et monsieur Kildir, dès lors fous d'inquiétude, n'arrêtèrent plus de crier à tout venant:

— Ne venez pas par ici! Pas par ici! De grâce, passez au loin! Mon Dieu, que nous avons peur pour nos œufs!

Or l'endroit, en dépit de son petit côté sauvage, était des plus passants. Sur la gauche le longeait la route de terre qui mène au village. Sur la droite, c'était mon sentier à moi, faiblement tracé entre les aulnes, qui me servait de raccourci pour me rendre cent fois par jour chez mon bon voisin Aimé.

Presque à toute heure quelqu'un passait par ce coin de pays que les visiteurs du Minnesota, venus sans doute le prospecter par un jour calme, avaient pu croire tout aussi calme d'un bout à l'autre de l'année.

Chaque fois s'énervaient sans bon sens les Pluvier. Madame Pluvier s'élevait au-dessus des aulnes coupés ras. Elle pleurait à fendre l'âme.

— Kill-dî!... Kill-dî!... Allez-vous-en! Allez-vous-en, tout le monde!

Monsieur Pluvier, lui, courait à course folle sur ses hautes pattes minces, un moment à droite, un moment à gauche, pour faire croire que leur nid était à l'autre bout du pays.

— Par ici! mentait-il. C'est par ici!

Pour sa part, n'entendant pas ce que disait son époux, madame Pluvier criait tout aussi fort:

— C'est par ici! C'est par ici!

Et elle s'en allait dans la direction opposée.

Au reste, personne ne les croyait ni l'un ni l'autre. De toute façon il n'y avait pas un être humain parmi nous pour songer un moment à prendre leurs œufs ou, plus tard, leurs pauvres petits oisillons tout menus. Quel été de misère nous avons cependant vécu! Toujours en alerte! Toujours sur le qui-vive! Plutôt que d'en recommencer un pareil j'aimerais presque mieux n'importe quoi au monde.

D'abord c'était le laitier. Il s'arrêtait à la maison proche du point d'eau sur le bord de la route. Aussitôt éclataient les lamentations:

— C'est par ici!... par ici!...

— Non pas ici!... pas ici!...

— Ici!... ici!... ici!...

Il y avait un brin de silence. La grosse grenouille verte et ses enfants, madame Libellule, l'araignée jamais ne faisant de tapage, tous se reposaient un bref instant.

Alors arrivait la camionnette du boulanger.

Monsieur et madame Kildir couraient comme des insensés chacun de son côté criant à enterrer la voix de l'autre:

— Par ici! Par ici!

— C'est pas vrai! C'est par ici! Par ici!

Notre boulanger affable, qui aime causer de maison en maison, ressortait de chez madame Maria et restait cinq bonnes minutes sur le pas de la porte, à rapporter les nouvelles, des miches sur les bras.

Les Kildir, fous d'énervement, criaient à tour de rôle, puis ensemble:

— C'est assez! Assez! Assez parlé!

Notre boulanger, qui a la bonne mine de son pain, finissait par se taire et partir. Madame Maria rentrait chez elle. On avait la paix pour dix minutes peut-être.

Bientôt montaient en bande des enfants du village avec leurs petits seaux qui tintaient joyeusement à leur bras, pour la cueillette des framboises. Le gentil bruit métallique et celui des claires voix enfantines étaient perdus dans la sempiternelle plainte:

— Que venez-vous faire ici? Ici? Ici?

— Non pas ici! Pas ici!

C'était à en perdre la tête.

Moi-même, m'aventurant un peu plus tard par le sentier, je prenais grand soin de ne pas alerter les oiseaux qui venaient tout juste de se calmer. Je marchais avec précaution, évitant de faire craquer des branches. N'importe, avec leurs petites oreilles fines, les Pluvier m'avaient entendue venir. Ils s'élevaient d'une courte touffe d'aulnes pour voleter par-ci par-là, affolés comme si c'était la première fois qu'ils voyaient des gens.

— Kill-dî, me disait l'un à peu près intelligiblement, encore que je n'aie jamais su ce que peut signifier kill-dî dans la langue des pluviers.

— Kill-dî, me disait l'autre en insistant, puis ils reprenaient leurs « par ici », « non pas ici »...

J'avais le temps de les examiner alors qu'ils volaient bas autour de moi. C'étaient de très beaux oiseaux doués pour le vol aussi bien que pour la course sur le sol avec leurs longues pattes grêles. En évidence sur la poitrine, ils portaient en double collier deux bandes qui paraissaient de velours sombre. Mais quelle nature inguérissablement inquiète!

— Avec ce caractère, pourquoi, mais pourquoi donc, leur demandai-je un jour, être venus vivre en un endroit aussi fréquenté? N'auriez-vous pas pu trouver une cachette plus sûre? Pourquoi ici?

— Kill-dî... kill-dî, me répondit l'un. C'est cette petite eau reposante qui nous a attirés.

— Il doit s'en trouver ailleurs... mieux cachée, leur ai-je dit.

— Kill-dî... kill-dî... Nulle part il n'y en a d'aussi pure qu'ici, d'aussi jolie... Maintenant allez-vous-en loin d'ici!... d'ici!...

Je ne pus rien leur tirer d'autre.

— Au moins, leur dis-je, tâchez de profiter de votre erreur, et l'an prochain cherchez ailleurs.

— Kill-dî, me dirent-ils. Ce ne sera pas ici! Pas ici!

Mais un moment plus tard, il me sembla entendre:

— Peut-être encore ici! Encore ici! Encore ici!

La grosse grenouille vert émeraude finit par en avoir assez de ces allées, venues et plaintes perpé-

71

tuelles. De nature joyeuse, elle comprenait mal qu'on pût passer sa vie à craindre le pire et à voir partout des ennemis. Avec quarante de ses enfants assez avancés en âge pour suivre en sautant par-dessus les mottes d'un trou à un autre, elle émigra dans une mare beaucoup moins attirante, plutôt sombre, mais qui offrait l'avantage d'être pénétrée de silence. Et là elle vieillit doucement en très peu de temps, sans perdre le moins du monde son caractère porté à voir le bon côté des choses.

Pendant ce temps, là-haut sur notre plateau, les Pluvier atteignirent le comble de l'énervement. Car c'était juillet maintenant, et des scouts arrivèrent pour camper dans le pays. A toute heure du jour, ils passaient à la parade en chantant à tue-tête. Le soir, assis en rond autour de leur feu, ils chantaient encore. De plus, la visite n'arrêtait pas chez mon voisin. Presque toutes les tantes vinrent, puis les nièces, puis les cousines et les cousins. J'eus ma bonne part moi aussi de visites. De surcroît, les enfants du village parcouraient inlassablement notre petite route à bicyclette, tous les chiens du plateau à leurs trousses, qui aboyaient sans arrêt. Cela excitait les vaches d'Aimé qui se mettaient à courir comme des folles dans leur pré communiquant avec le point d'eau. Vous dire l'affolement des Pluvier ces jours-là est presque impossible. Ils étaient tout juste descendus au plus serré des aulnes pour réconforter et rassurer leurs enfants qu'ils reprenaient le ciel ou repartaient à courir à travers champs. Et ils se contredisaient plus que jamais, devenus nerveux à ne plus savoir ce qu'ils disaient:

— Kill-dî! Notre nid n'est pas ici!... pas ici!...

— Kill-dî!... Il est par ici!... Par ici!...

Et de courir, en sens opposé, l'un à droite, l'un à gauche, et de nier chacun ce que l'autre affirmait.

Sûrement ils ont enfin appris leur leçon, me disais-je, et jamais plus on ne les reverra.

Monsieur Kildir me donnait raison:

— Oh non! plus ici, jamais plus ici!

Mais madame Pluvier, n'ayant pas saisi ce qu'il m'avait dit, ou bien simplement contrariante, maintenait:

— Eh oui! Ce sera encore ici. Car où donc ailleurs voulez-vous qu'on aille!

— Non, pas ici, j'ai dît! entendais-je au loin, de la part de ce pauvre monsieur Pluvier qui espérait avoir le dernier mot.

Puis enfin, leurs enfants élevés de peine et de misère, monsieur et madame, avec leurs quatre petits Pluvier, un beau jour s'élevèrent ensemble pour de bon de leur pauvre cachette. C'était pour filer droit vers le Sud, avec un petit crochet peut-être au Minnesota.

— Kill-dî!... lancèrent-ils pour une fois disant la même chose, c'est fini!... fini!... fini!...

Et le silence se rétablit autour de l'eau dormante comme on n'en avait connu depuis des mois.

Alors, bien qu'on fût à la veille de l'automne, savez-vous qui revint sur les lieux ? Eh bien ! notre grenouille vert émeraude, contente comme pas une de réintégrer sa première demeure, maintenant que celle-ci était devenue paisible et qu'elle en connaissait les avantages pour en avoir essayé une autre beaucoup moins accueillante. Sur un côté de l'eau, il y avait de la vase dans laquelle elle se creusa un profond abri pour l'hiver, et elle y disparut en entier après un dernier regard de ses bons gros yeux saillants sur le monde alentour.

Les lysimaques et les iris moururent, mais ils avaient confié leur survie au sol mouilleux qui la préserva. De même firent les roseaux. Alors le petit étang parut sans vie. De jour en jour s'assombrissait le ciel. Le croiriez-vous si je vous disais que dans le gris et l'inanimé de la dure saison qui s'avançait, il nous arriva à Berthe et à moi d'éprouver du regret de ne plus entendre la plainte des pluviers ? Parce que liée à l'obscure peine du cœur humain ? C'est possible. Toujours est-il qu'il nous manquait quelque chose.

En tout cas, c'est bien fini, me disais-je. Jamais nous ne reverrons monsieur et madame Pluvier qui ont eu trop de misère ici pour ne pas s'en souvenir.

L'hiver prit. Notre bonasse grenouille dormit sans rêve, bien enfoncée sous la glace. L'araignée, elle, je ne sais trop comment elle hiverna. Bientôt une neige abondante s'entassa dans le creux au bord de la route. Ce qui avait été, vous vous en souvenez, un gentil semblant de lac, de figure à peu près ovale, devint un infranchissable banc de neige où le vent, à chaque nouvelle tempête, en rejetait encore de fraîchement tombée.

Au printemps, sous le soleil tiède, cela fit beaucoup d'eau. La terre apparut, toute jeune. Puis, en jaune clair, la famille des lysimaques ayant doublé depuis l'année dernière. Aussi les iris qui sont peut-être les plus rêveuses des fleurs. Les aulnes, recoupés à l'automne, repoussaient à neuf, toujours aussi déterminés à vivre. Au centre de leurs groupes serrés, l'eau neuve reflétait le ciel, de petits nuages blancs et, parfois, le vol d'un canard qui, le cou tendu, l'air pressé, filait lui seul savait où.

Mais il ne faudrait pas oublier de mentionner madame Libellule, arrivée elle aussi depuis peu et qui ne cessait, tout comme l'été dernier, d'évoluer dans le parfait petit paysage où elle mettait, si l'on peut dire, la touche la plus gracieuse, frôlant au passage, du bout de l'aile, les touffes d'iris.

Et alors, croyez-le ou non, au sein de cette paix et de cette concorde, un beau jour de juin, comme je venais par mon sentier entre les aulnes, qu'est-ce que j'entendis!

— Venez pas ici! Nous avons des œufs! Passez au large! Allez-vous-en!

— Par ici!... C'est par ici!...

— Non... Pas ici! Pas ici!

— Mais êtes-vous fous ? leur ai-je demandé. Quand vous avez toute la montagne où trouver refuge! Et les bords sauvages du fleuve passé le cap Maillard! Et toute l'ancienne Seigneurie, si on peut dire, de Monseigneur de Laval! Qu'est-ce qui vous a pris, mais qu'est-ce qui vous a pris de revenir ?

Entre deux cris inquiets, je crus entendre:

— C'est cette belle petite eau si calme... les fleurs jaunes tout autour... le ciel dans l'eau...

— Et les fleurs bleues... et la paix...

— ... qui nous ont attirés... Kill-dî... Et même les gens qui ne nous font plus très peur...

— Presque plus peur...

— Encore peur...

Et j'entendais dans le ciel peur et bonheur, effroi et confiance, et me disais: « Mais ces oiseaux-là au cœur qui oscille, c'est toi, c'est moi, c'est nous tous, les enfants de la Terre. »

Un mobile

Marcel a trouvé une famille de marguerites — une vingtaine — groupées à longs intervalles sur une même souple tige. De ces ordinaires marguerites des champs, blanches, au cœur jaune clair. Ce qui en faisait la beauté c'était leur éparpillement gracieux rattaché pourtant au même nœud. Il les a placées dans un vase à goulot étroit sur une table basse d'où elles débordent dans presque toute la pièce. Elles sont si déliées, si délicates qu'un bref courant d'air les fait toutes vibrer.

— Un mobile de fleurs! ai-je félicité mon mari.

Mouffette, ma petite chatte, a sauté sur la table. Elle a tapé une fleur comme elle aurait frappé une note de clavier; toutes les fleurs ont frémi. Elle en a atteint une autre un peu plus haut: même résultat. Alors Mouffette a tourné la tête avec un air de dire:

— Quel beau jouet!

— Mouffette, non, laisse! avons-nous commencé par protester. De tout l'été nous ne trouverons peut-être pareil clavier de marguerites.

Elle, une patte en l'air, s'amusait follement. C'était si gracieux ce jeu du petit chat noir et blanc jonglant avec les fleurs frémissantes... nous avons fini par le laisser faire.

Je mets cette marguerite en branle; dix-neuf autres marguerites vibrent. Je tâche d'arrêter le brelan; tout repart de plus belle.

Mouffette, suspendue aux douces marguerites, la patte sur l'une, la patte sur l'autre, a l'air d'un petit sonneur de cloches.

La Grande-Minoune-Maigre

C'est connu, les chats n'aiment guère aller à la promenade avec leur maître. Ils préfèrent attendre leur retour assis sur le pas de la porte. Ou encore sur le rebord d'une fenêtre où ils sont bien placés pour voir tant l'intérieur que l'extérieur. On dit qu'ils s'attachent plus aux lieux qu'aux gens. Cela est loin d'être prouvé. Ce qui est sûr, toutefois, c'est qu'ils aiment tendrement leur maison. On n'en a besoin pour preuve que de les voir, aux premiers jours frisquets de l'automne, assis tout grelottants sur le perron, poil rebroussé, pattes en manchon, à attendre parfois une journée entière leur maisonnée partie en visite dans quelque rang au diable vert. Il arrive que le vent glacé souffle de ce côté-là. N'importe, c'est le plus près du seuil qu'ils désirent attendre.

Il y a cependant des chats qui suivent leur maître, très peu, mais il y en a. Ainsi le Grisou, un petit chat bleu, de caractère très doux, qui usa sa courte vie à tâcher de suivre en montagne mon voisin Aimé qui y montait tous les jours abattre des arbres.

A l'aube encore tremblante, Aimé attaquait à pied le rude sentier. Quittant à regret sa bonne petite place derrière le poêle, Grisou avait réussi encore une fois à sortir sur les talons du maître sans se faire remarquer. Devant l'immense dehors glacial, il hésitait un moment. Il miaulait d'effroi, de saisissement, pourtant ne perdait pas de vue Aimé qui marchait vite. Dans la neige fraîchement tombée, le petit chat enfonçait jusqu'aux yeux. Il s'en sortait à grands efforts et parvenait à rattraper son maître. Alors, de contentement, il se frottait à la jambe de l'homme et perdait des forces à essayer de ronronner. Si bien que de nouveau il se trouvait distancé. Il essayait de couper au plus court, retombait dans la neige molle, appelait à l'aide, miaulait désespérément, rattrapait une fois de plus le maître, qu'il perdait de nouveau et alors s'asseyait, tout petit, apeuré, pleurant entre les grands fûts sombres. Aimé, qui avait espéré user la patience du petit chat et le contraindre à retourner à la maison, revenait sur ses pas. Il prenait le Grisou raide de froid pour l'installer sur son épaule. Tous deux continuaient l'ascension, le maître soufflant une haleine blanche, le petit chat agriffé de toutes ses griffes à la veste de laine. Malgré cela, à tous les cahots, il avait l'air de danser sur l'épaule d'Aimé, qui montait et descendait au rythme de la marche. Le terrain devenait-il meilleur, l'équilibre du petit chat un peu plus sûr, aussitôt il ronronnait dans l'oreille du maître.

— Cré petit fou! lui disait Aimé. Quand est-ce que tu vas apprendre à rester chez nous!

C'était là un cas tout à fait exceptionnel chez les chats, et si je l'ai raconté, c'est pour faire voir toute la différence qu'il y avait entre Grisou et, par exemple, sa propre mère, elle, aussi reste-au-logis qu'il est possible de l'être.

Dite la Grande-Minoune-Maigre, elle n'était pas belle du tout. Une longue chatte étirée, la queue de travers, avec des taches bleues mal taillées, mal distribuées sur sa robe blanche que, la justice oblige à le dire, elle tenait fort propre.

De caractère, elle était renfrognée, morose, entêtée et toujours inquiète.

Ou elle allait avoir des petits et récapitulait dans sa tête ses vieilles cachettes, celles qui lui avaient réussi, celles qui étaient éventées, avec l'air de ne plus s'y retrouver elle-même, se demandant: « Est-ce que les plus anciennes sont assez anciennes pour y retourner maintenant en toute sécurité? Ne vaut-il quand même pas mieux en découvrir une toute nouvelle? » Mais elle avait déjà eu près de soixante petits. La ferme commençait à manquer d'endroits sûrs pour les premiers jours des chatons. Ensuite, leurs yeux ouverts, ils étaient saufs; on les trouvait trop mignons pour s'en défaire.

Ou bien la Grande-Minoune-Maigre avait eu sa portée. Mais elle restait tout aussi méfiante, empruntant chaque fois pour se rendre à la cachette un nouveau chemin compliqué. Tant et si bien qu'il lui arrivait de s'égarer elle-même.

Cependant — ah! quel caractère étrange que cette chatte! — ses petits tout juste en état de se débrouiller, elle passait carrément du côté des humains. Dès lors elle n'avait plus en tête que de vivre dans la maison avec les gens, installée parmi eux sur la meilleure chaise, prêtant l'oreille à toutes les conversations. Et elle était sans cesse à une porte ou à l'autre, suppliant qu'on la laissât entrer.

Or, chez Berthe et son frère Aimé, on a pour règlement que, l'été, les chats sont bien dehors. Alors on ne les admet pas trop aisément dans la maison.

La Grande-Minoune-Maigre ayant tout juste de peine et de misère pénétré dans la cuisine sur les talons de quelqu'un, se voyait sans cérémonie retournée dehors. Qu'à cela ne tienne! Elle entendait arriver le maître du côté de l'étable, ses seaux de lait à bout de bras. Aussitôt elle était à la porte d'arrière et réussissait à franchir le seuil, Aimé n'ayant pas de main libre pour l'en empêcher. De la jambe, il essayait parfois, mais c'était un rien pour la Grande-Minoune-Maigre de sauter par-dessus.

— La chatte est encore entrée; mettez-la dehors, disait Berthe, occupée à faire rissoler un poêlon de truites saumonées, ou des tranches de pain dans du sirop d'érable.

Évidemment c'était à l'heure la plus attrayante que la Grande-Minoune-Maigre déployait tous ses efforts pour conquérir la cuisine. Dans l'agitation de l'heure du souper, chacun occupé de son côté, la

Grande-Minoune-Maigre plus d'une fois avait réussi à sauter sur la table pour attraper une truite qu'elle avalait sous notre nez avant que nous revenions assez de notre surprise pour crier:

— Shou! la voleuse! ce qui ne la démontait aucunement.

— Cette chatte n'a pas de fierté, décréta Berthe un jour.

Assise à me bercer pendant que tous se démenaient, je pris assez mollement la défense de la chatte.

— Elle a peut-être faim.

— Je viens de lui donner à manger les têtes et les entrailles de poisson, dit Berthe. Hou! Dehors!

Et elle renvoya la chatte.

Comme on était sur le point de se mettre à table arriva le boulanger et la Grande-Minoune-Maigre rentra triomphalement derrière lui qui ne songeait pas à lui claquer la porte au nez.

Il s'assit. Elle aussi.

Au bout de deux minutes, Berthe, accompagnant le boulanger jusqu'à sa camionnette pour y faire son choix de gâteaux, en profita pour remettre la chatte dehors et la chatte profita du retour de Berthe, les bras chargés, pour entrer de nouveau.

Elle finissait par avoir les gens à l'usure. La maison d'Aimé est gaie. Il y vient beaucoup de monde. Au cours d'une seule soirée j'ai vu la chatte mise à la porte vingt et même trente fois de suite. Vers onze heures, il n'était pas rare de la voir installée sur la meilleure chaise, faisant semblant de dormir. De temps à autre, ouvrant l'œil, elle promenait sur la compagnie un étrange regard où il y avait moins d'amitié qu'un tenace besoin, je pense, d'établir son importance et sa place parmi nous tous.

Il n'existait pas au monde, j'imagine, de chatte plus reste-au-logis et garde-ma-chaise que celle-là. Tout le contraire de Tontine, la petite chienne de la maison, qui entrait en frénésie si on la conviait à une promenade, la Grande-Minoune-Maigre sur son coussin semblait avoir hâte de nous voir partir. S'étirant mollement jusqu'au bout des pattes, elle nous coulait un singulier regard, à la fois détaché et un peu impatient, l'air de dire: « Allez-vous-en donc à la fin! On n'est jamais si bien que, les maîtres sortis, la maison à soi. »

Sans doute aussi ce devait lui être délice d'être délivrée pendant une heure ou deux de cette Tontine exécrable qui n'arrêtait pas de l'humilier, de la rabaisser.

Quoi qu'il en soit, cette chatte routinière un jour finit par faire ce qu'elle n'avait encore jamais fait et par là à nous épater pour toujours.

Ce jour-là, Berthe et moi nous apprêtions à descendre au fleuve y pêcher la loche, et Tontine, folle de joie, lançait des cris aigus en dansant: « Oui, oui. Allons au fleuve. Dépêchons-nous. »

La petite chienne à long poil roux, moitié rotu-
rière, moitié pékinoise, raffolait à ce point de descendre au fleuve qu'elle avait appris à reconnaître le mot.
Le prononcions-nous dans la conversation que Tontine, même si elle avait paru profondément endormie,
aussitôt ouvrait l'œil, dressait la tête, se levait à demi,
agitée déjà par l'espoir de nous accompagner.

Mais pourquoi aimait-elle tellement aller au fleuve,
cela demeurait inexplicable. Car, parvenue sur ses
bords, elle ne le regardait même pas. Elle ne prêtait
pas non plus l'oreille à ce qui nous était à Berthe et
à moi une joie inépuisable: ce brisement à l'infini du
flot, toujours dispersé, toujours se rassemblant. Et,
pour sûr, elle ne s'y baignait pas, prenant soin au
contraire de se reculer vivement quand une longue
vague, longtemps après le passage d'un bateau, défer-
lait inopinément sur la grève. D'ailleurs, elle n'y venait
jamais d'elle-même, comme elle l'aurait pu faire cent
fois par jour. J'en suis donc venue à penser que c'était
le fait de nous voir, nous les personnes, rendues heureuses par cette surprenante étendue d'eau, qui avait
fini par y attacher notre petite bête. « Puisqu'elles
aiment ça, se disait-elle peut-être, essayons aussi. »
Car le chien a le cœur généreux. Jaloux aussi, toutefois.

Et voici qu'en route ce jour-là depuis quelques
minutes, nous nous sommes aperçues tout à coup que
tâchait de nous suivre la Grande-Minoune-Maigre,
déjà empêtrée dans les hautes herbes. Elle avait dû
réussir à sortir derrière nous sans se faire remarquer

comme cela lui était arrivé des milliers de fois pour entrer.

— C'est surprenant, dis-je. Qu'est-ce qui lui prend ?

— Elle vieillit, me dit Berthe. Et maintenant, quand elle attend des petits, on dirait qu'elle ne sait plus trop ce qu'elle veut : rester ou suivre ; être avec du monde ou toute seule.

Et elle lança à la chatte en guise de conseil :

— Tu ferais mieux de retourner à la maison. C'est trop loin pour toi.

Ce fut une erreur, car Tontine en se retournant aperçut également la chatte qui du coup s'aplatit dans les herbes pour tâcher d'y disparaître. En véritable bolide, Tontine remonta la côte et répéta l'ordre à sa manière, l'œil furieux, la babine retroussée. Pour une fois, la Grande-Minoune-Maigre parut vouloir tenir tête à sa vieille ennemie. Elle lui cracha quatre ou cinq fois au visage. Prise entre ces ignobles manières et la remontrance de Berthe qui disait : « Ah ! ma méchante ! Arrive ici, méchante ! » Tontine en fin de compte obéit et vint se ranger près de nous.

Mais hargneuse encore elle menaçait à mi-voix : « Qu'elle n'approche pas, car alors je ne promets rien. »

Au bout d'un moment, nous avons vu que la chatte continuait à suivre, mais de loin, prête à s'aplatir dans les herbes dès que Tontine se retournait pour regarder de son côté.

— Entre la chatte aplatie et la chienne qui gronde, nous allons faire une promenade gaie, ai-je dit en soupirant.

Berthe aussi paraissait déçue. Mais elle dit avec une sorte de compassion:

— Ça fait pitié encore!

Et elle tenta de nouveau, avec douceur, de renvoyer la chatte:

— Tu serais bien mieux à la maison. Va, va-t'en donc chez nous.

A mi-chemin de la côte, la tête de la chatte dépassant tout juste des herbes parut faire signe que non, tristement.

Nous ne comprenions plus rien. Autant la Grande-Minoune-Maigre jusque-là avait été attachée à la maison, autant aujourd'hui elle semblait n'avoir plus d'attachement que pour nous.

— On dirait qu'il lui est venu comme une peur d'être toute seule! dit Berthe. Et quant à la faire changer d'idée, si elle a dans la tête de nous suivre, autant essayer de remuer la montagne.

Nous avons donc continué plus ou moins ensemble, une file étirée, la Minoune-Maigre loin en fin de queue.

Mais les choses ne tardèrent pas à empirer. Car pour atteindre le fleuve il faut descendre une côte raide. De grosses roches en crèvent la surface qui est déjà raboteuse. Par endroits, elle est à sec, à d'autres elle reste trempée. De toute façon, on doit être chaussé en conséquence. Derrière nous, la Grande-Minoune-Maigre se coupait les pattes sur l'arête vive du roc. Elle se les mouillait aux passages humides, ce qui lui déplaisait peut-être encore plus, car l'une après l'autre elle les retirait de l'eau pour les secouer vivement. A intervalles, la pauvre s'asseyait un moment pour lécher les tendres coussinets de ses pattes déjà blessés. L'air désemparé, elle nous demanda en pleurnichant :

— Vous ne pourriez pas au moins ralentir ? Vous savez bien que je ne suis pas chaussée de bons gros souliers, moi.

Tontine qui couvait sa rancune remonta aussitôt pour lui rire dans la face :

— Qu'est-ce que tu avais aussi à vouloir nous suivre au fleuve ! Le fleuve, c'est pas pour toi. Endure maintenant.

Nous avons fini par nous asseoir, Berthe et moi, pour permettre à la Grande-Minoune-Maigre de se reposer un brin. De toute évidence, plus le trajet allait devenir dur, et moins elle consentirait à renoncer. C'était comme si elle cherchait à nous faire comprendre de ses grands yeux pleins de fatigue et d'entêtement : « Ayant fait tout ce bout difficile, si vous pensez vous autres que je vais rebrousser chemin ! »

Tontine fit un détour et alla s'asseoir à bonne distance de la chatte, lui tournant ostensiblement le dos. Et elle poussa un gros soupir de hargne rentrée.

L'endroit est feuillu, ombreux: une mince clairière entre des aulnes serrés et quelques bouleaux dont l'écorce blanche agrémente ce bois un peu trop sombre. Sur une pierre à surface lisse, nous avons pris place, et je ne sais plus à quel propos avons commencé à parler de la vie, comme elle change au fur et à mesure que nous avançons, comme nous changeons nous-mêmes, comme nous avons peine quelquefois à nous retrouver.

Nous entendions déjà un peu le grand battement de l'eau contre le rivage, et cela paraissait lié à ce que nous disions à propos de la vie. Le fleuve et la vie, tous deux en mouvement, nous semblaient proches l'un de l'autre, encore que le fleuve dans son mouvement nous soit repos, alors que la vie souvent nous donne du mal à tâcher de la suivre.

— Quand j'étais enfant, me raconta Berthe, ma mère m'envoyait porter ici, pour les garder frais, à la source dans ce bois, le beurre, le lait et la crème. Maintenant, on a le réfrigérateur. C'est mille fois plus commode, mais on a perdu le plaisir de la source.

— Où est-elle? ai-je demandé à Berthe.

Elle m'a menée la voir. Nous l'avons redécouverte sous de grandes fougères vert sombre. Elle n'émettait qu'un faible bruit, à peine plus que celui d'une petite aiguille de montre qui marque le temps. Elle était douce, énigmatique, mystérieuse comme au début de sa vie.

— Il y avait des années que je ne l'avais revue, me dit Berthe. Maintenant qu'on n'en a plus besoin!

Penchées sur l'eau, nous y voyions quelque peu nos visages assombris.

— C'est à se demander, ai-je dit à Berthe, si ce que l'on gagne à vivre vaut ce que l'on perd!

Alors Tontine, le museau à plat sur le sol, mais les yeux grands ouverts et les oreilles impatientes, a jappé brièvement. C'était comme si elle cherchait à nous faire comprendre:

— Cessez donc à la fin de parler de la vie. Qu'est-ce que ça vous donne? Qu'est-ce que vous pouvez y changer? Venez-vous-en donc plutôt au fleuve.

Mais la Grande-Minoune-Maigre, elle, paraissait heureuse de nous entendre parler des difficultés de vivre avec soi-même et avec les autres. Elle reposait sur le flanc, haletant encore un peu, et de temps en temps elle entrouvrait les yeux et nous lançait un beau regard doré qui commençait à s'apaiser.

— C'est ça, avait-elle l'air de dire, parlez de la vie qui est dure à comprendre, dure à vivre.

Et elle tournait du côté de Tontine un visage de bois.

Reposées toutes les quatre, nous avons repris la descente. La chatte se lamentait moins. Sans doute pensait-elle que le plus rude du chemin était fait et qu'elle avait des chances d'en voir le bout. Mais comme pour la narguer et lui démontrer à quel point le trajet était facile à qui en avait le tour, Tontine s'était prise à un jeu cruel. Elle remontait la côte à toute allure, la descendait aussi vivement, remontait encore, encerclant dans ses ronds la chatte devant laquelle elle jappait. Plus digne qu'on ne l'aurait cru possible, la Grande-Minoune-Maigre ne crachait plus, ne répondait même pas à la provocation, reculant seulement d'un pas devant l'effrontée.

Puis nous avons débouché sur la grève parsemée de gros galets communs. Au-delà, c'était la splendeur accoutumée du fleuve à laquelle cependant on ne s'accoutume pas. Nous en avons eu encore, pour la millième fois, le cœur saisi. En même temps le murmure de l'eau, le plus ancien chant de la Terre, nous accueillit, nous enveloppa. D'un regard intelligent, Tontine s'assura que ce serait pour nous comme les autres fois, que déjà nous étions apaisées. Alors elle chercha en arrière d'un gros bloc de pierre un endroit bien sec, y fit son rond et se coucha en poussant un autre soupir mais cette fois de soulagement.

— Enfin vous allez être tranquilles pendant un moment. Je vais en profiter pour me reposer moi-même, nous dit-elle d'un regard où tout le souci qu'elle se fait pour nous était peu à peu emporté par un besoin de sommeil.

Un peu plus haut, la chatte s'étendit de tout son long, maigre de partout, sauf du ventre toujours distendu. Elle jeta un vague regard sans intérêt sur toute cette eau s'étalant à l'infini. Quel élément détestable! Et dire qu'il y a des gens pour s'en approcher au plus près et même pour y entrer! Elle haleta doucement, se remettant des émotions du voyage, puis enfin elle aussi ferma les yeux.

Pour Berthe et pour moi le temps ne compte guère, nous le voyons à peine passer quand nous sommes au bord du fleuve. Il s'écoule dans le chant de la marée qui monte et qui baisse, à peu près le même toujours. Ce qui est éternel n'a apparemment pas besoin de changer. A nos bêtes amies non plus le temps ne semble pas long près de l'eau, à condition que nous y soyons avec elles. Pendant que nous rêvons, déliées et merveilleusement libres, elles, elles dorment, enfin tranquillisées sur notre compte.

Pourquoi donc ce jour-là ai-je soudain rompu le charme en proposant:

— Berthe, si nous allions nous promener sur la *track*!

Tontine s'est levée pour nous emboîter le pas, résignée à suivre puisqu'il le fallait, mais l'air assez bougon.

— Quelle idée, quand on est si bien ici au frais, de s'en aller chercher misère ailleurs. Je reconnais bien là cette curieuse amie de ma maîtresse qui n'est jamais bien longtemps nulle part.

Pour ce qui est de la Grande-Minoune-Maigre, elle parut franchement atterrée. « Quelle sorte de sol vais-je trouver là pour mes pauvres pattes déjà bien éprouvées ? Et qu'est-ce que c'est que la *track* ? Pourquoi aussi parlent-elles anglais tout à coup ? Pour que je ne comprenne plus rien à rien !... »

A vrai dire, avec sa queue de travers, son visage énervé, l'étonnement dans les yeux de se réveiller ici au bord de l'eau, elle eut l'air plus folle que jamais.

Pourtant — que faire d'autre du moment où on s'est lancé dans une si téméraire équipée ! — elle remonta avec nous un peu plus haut. Là, sur un étroit palier parallèle au fleuve, se déroule le chemin de fer.

De traverse en traverse qui ne sont pas posées à intervalles réguliers, peut-être pour décourager les gens de s'y promener, nous avancions, Berthe et moi, d'un pas sans cesse contrarié. Le corps en est aussitôt fatigué. Par ailleurs, l'esprit en est réjoui, comme s'il s'imaginait plus libre ici que sur le chemin de tout le monde.

Nous avions fait un bon bout de trajet avant de nous apercevoir que nos bêtes — c'est bien le cas de le dire — traînaient la patte. Même à Tontine le ballast était dur à supporter. Elle y marchait en arthritique, le pas court, la tête basse, sans se plaindre toutefois. Il faut donner ça à Tontine, ce n'est pas une geignarde. Quant à la Grande-Minoune-Maigre, assise entre les rails, les yeux égarés, elle avait l'air d'être enfin sur le point de renoncer à nous suivre, mais ne se rappelant peut-être plus la route, ou trop fatiguée pour aller dans un sens comme dans un autre, se lamentait sur tous les tons:

— Où est-ce qu'on est rendues? Où est-ce qu'on s'en va? Où est-ce que ça mène pareil chemin? Pourquoi ne m'avoir pas dit qu'on irait au bout du monde?

Tontine lui jeta un bref regard et un bref grognement.

— On te l'a dit. Si t'es pas contente, retourne. C'est déjà assez dur comme c'est sur ce chemin-ci sans qu'on ait à supporter en plus tes jérémiades.

Pauvre chatte! Dire que c'est au moment précis où elle allait nous faire une démonstration éclatante d'un grand talent jusqu'alors insoupçonné, que nous, dans notre ignorance, la jugeant vraiment trop sotte, allions donner le signal du retour. Mais heureusement je redevins enfant, et j'eus l'idée d'essayer de marcher sur le rail comme lorsque j'avais sept ou huit ans.

Les bras tendus de chaque côté en guise de balancier, je ne réussis d'abord que six ou sept pas. Je remontai. Je fis un peu mieux. Ce n'était pas encore brillant. Berthe, sur le rail opposé, me dépassait. Je devenais envieuse. A un moment donné, nous joignant par la main à travers la voie, nous avons tenté de tenir ensemble. Nous riions. La vie tout à coup nous paraissait tendre, drôle, amusante. Deux petites filles habiles et sveltes qui avaient couru sans effort sur les rails nous regardaient-elles aller de loin avec un peu de pitié? La chienne et la chatte n'en revenaient pas en tout cas. Tontine, qui n'avait jamais vu sa maîtresse se livrer à de pareilles fantaisies, était dans l'ahurissement. Et comme toujours, lorsqu'elle ne comprend plus les agissements de ceux qu'elle aime, elle pleurait. Pour ce qui est de la Grande-Minoune-Maigre, assise de nouveau au milieu de la voie ferrée, mais sans plus se plaindre, elle nous observait tout à coup de son étroit petit visage devenu toute attention, toute finesse, toute intelligence.

Et soudain elle prit son élan. Elle nous dépassa aisément, la queue haute. Cette queue tenue bien droite lui faisait une tout autre personnalité. Jamais on n'aurait pu croire que la simple façon de tenir sa queue aurait pu faire une telle différence.

A faible distance devant nous, elle sauta sur le rail. Elle continua à y courir de la même allure, la queue toujours haute et droite. Elle ne vacillait même pas. Elle allait comme si de rien n'était. Elle courut encore un bon bout avant de nous jeter un regard par-dessus l'épaule, sans ralentir pour autant sa course.

— C'est donc ça que vous trouvez si difficile! C'est pourtant pas grand-chose.

Nous en étions sidérées. Elle continuait tout à son aise. Un bon petit trot solide qui ne variait pas. Et tout ce temps-là, la tête assurée, les oreilles droites, la queue haute!

— Mais c'est une merveille! l'avons-nous félicitée. Il n'y a personne au monde pour mieux courir sur le rail.

Elle, modestement, comme pour ne pas revendiquer plus qu'il ne lui revenait, sans cesser de courir nous accorda un bref regard qui disait:

— Ah! c'est que vous avez le pied large et aussi, pauvres de vous, que vous n'en avez que deux.

Mais en dépit de ses airs de modestie, on pouvait voir qu'elle était assez fière d'elle-même.

Or une qui n'en menait pas large à ce moment-là, c'était Tontine.

Une oreille pendante, la queue par terre, une expression sur tout le visage de n'en pas croire ses yeux, elle regardait aller avec cette souveraine aisance sa pire ennemie. Elle poussait des gémissements d'envie, de douleur, qui atteignirent leur comble lorsque, sans trop penser à l'offense que cela était pour Tontine, nous avons de nouveau vivement applaudi la chatte:

— Bravo! Bravo!

Alors Tontine commit la bêtise des bêtises. Elle se hissa sur le rail. Elle en dégringola aussitôt. Butée, elle recommença et elle réussit à grand-peine quatre pas lourds et hésitants.

L'acier poli n'offrait pas de prise à ses griffes rudes. La pauvre entêtée bascula et se trouva sur le dos.

La chatte, qui aurait pu avoir la partie belle, pour tout commentaire eut une espèce de haussement d'épaule. Et elle continuait toujours à filer, avec une bonne avance sur nous, de temps à autre jetant en arrière d'elle un regard qui nous narguait:

— Êtes-vous toujours d'attaque? Irons-nous jusqu'aux pêches à anguilles de l'Abatis? Jusqu'au Sault-au-Cochon?

Soudain elle semblait connaître tout le pays, ses particularités, sa géographie.

— Ou même jusqu'au Petit Cap au bas de l'ancienne Seigneurie? Depuis le temps que vous dites que vous vous y rendrez à pied un de ces jours!

Nous avons dû la rappeler. Enivrée de son succès, elle aurait été capable de nous entraîner jusqu'à Québec. Et d'abord elle fit la sourde oreille et ne voulut pas entendre parler de quitter le rail. Mais quand elle nous vit parvenues à mi-chemin de la côte, elle se décida à revenir avec nous.

Sans doute était-ce moins le fait d'avoir couru sur le rail que de nous avoir épatées qui la grisait. Car elle n'en finissait plus de prouesses.

En trois bonds elle remonta la grande côte, ventre à terre, oreilles aplaties, la queue en ligne droite avec le nez.

Au sommet, elle eut la bonne grâce, toutefois, de nous attendre, assise la queue autour des pattes, à regarder le fleuve, les nuages et, de loin, clignant de l'œil, notre petite procession qui montait péniblement.

101

Et elle avait sur les traits ce je ne sais quoi d'aimable qui vient aux gens comme aux bêtes quand ils ont été admirés au moins une fois dans leur vie.

Les Frères-Arbres

C'était par une douce journée d'été. Trois corneilles, en route pour Grande-Pointe, se posèrent dans
les branches des deux trembles au bord de la route,
près de chez nous, que j'appelle les jumeaux. Jamais
on ne vit petits arbres poussant côte à côte parvenir à tant se ressembler: même hauteur, même min-
ceur du corps, même distribution du feuillage, même
façon un peu timide de se tenir, caractéristique des
trembles — les moins orgueilleux des arbres — tout
droits cependant et pareillement enveloppés de leur
discrète musique. A cœur de jour on entend ces deux-
là. Si jamais l'un se tait, c'est pour laisser à l'autre la
parole. Mais d'habitude c'est ensemble qu'on les
entend parler, au reste pour dire la même chose. A
les voir, issus apparemment de la même souche,
mêlant leur feuillage, serrés à ne laisser passer entre
eux qu'un filet de jour, on pourrait les croire venus au
monde aux seules fins de se soutenir mutuellement.

Or ils sont à l'extrême bord de la route, juste
en deçà de la vieille clôture de perches qu'Aimé

rafistole tant bien que mal de printemps en printemps. Un rien de plus, et ils seraient sur la route. On ne peut donc pas ne pas les voir, chantant ensemble, grandissant d'une même mesure chaque année, touchants à force de similitude. Pourtant personne n'a parlé d'eux. Personne n'a même donné à entendre qu'il les avait remarqués. Hors les corneilles. Car ce n'était pas la première fois que j'en voyais faire halte dans les branches des jeunes trembles. Et si j'avais pu penser d'abord que c'était par commodité, je finis par comprendre que c'était davantage par goût.

S'étant disposées deux sur une même branche côte à côte, et l'autre en face sur une branche du jumeau, elles commencèrent à se parler bec à bec.

Moi, dans ma balançoire derrière la haie de thuya, je ne peux être vue de la route, mais par les éclaircies j'aperçois assez bien tout ce qui y passe. Par ailleurs je suis des mieux placée pour tout entendre.

Mes trois corneilles, se croyant bien seules, causaient familièrement entre elles. C'était apparemment la plus âgée qui parlait le plus, les deux autres se bornant à émettre à tout moment des: Aâh! Aâh! Et rien ne ressemblait davantage à une paisible conversation.

Même les « cââ », « cââ » des corneilles n'étaient pas aujourd'hui bruyants et énervants comme lorsqu'elles-mêmes sont énervées, si, par exemple, on a donné la chasse à une des leurs ou si, de la terre, on leur a jeté à travers le ciel des injures: Pilleuses! Voleuses!

Survint alors, du village, une bande de petits garçons point méchants pourtant d'habitude; mais voici que l'un d'eux ramasse une pierre dans le gravier au bord de la route et la lance à toute volée vers les oiseaux en leur criant:

— Vieilles laides! Vieilles laides!

Deux autres enfants firent de même.

De surprise, les corneilles se turent. Comme si elles étaient lentes à comprendre, elles regardaient en bas à leurs pieds sans bouger. Enfin elles se levèrent des branches et volèrent vers la montagne boisée, tirant de l'aile, à regret, trois petites formes dont le noir dans tout ce bleu du ciel aujourd'hui déployé prit tout à coup un sens de chagrin.

Les enfants se moquèrent d'elles: Cââ Cââ... puis continuèrent leur route.

Dans le silence revenu, j'entendis le soupir des deux petits arbres en deçà de la vieille clôture de perches.

Puis, au bout d'une demi-heure, tout étant calme, les trois corneilles revinrent et reprirent dans les trembles la place exacte que chacune avait occupée: deux sur une même branche, côte à côte, leur commère en face. Et les voici qui reprennent leur conversation sans la moindre trace dans le maintien ou le ton de voix donnant à penser qu'elles gardent rancune.

Pourtant elles sont loin d'être sottes. Et pour ce qui est de la mémoire elles en ont à revendre.

Alors s'annonça par une sorte de cri de douleur de la machine, si on peut dire, la lente montée du camion au ventre plein de mazout, engagé dans la côte qui mène à notre paisible plateau. Les odeurs dans lesquelles nous vivons sans plus toujours nous en apercevoir, celle de la marée à la fois saine et de décomposition, celle aussi de la flouve odorante cachée le long du ruisseau, puis des trèfles et, quelquefois, le vent aidant, des roses à l'ancienne autour de la vieille croix de route, dès ce moment, ces fines odeurs furent noyées dans la forte senteur d'huile à chauffage qui barbouille le cœur.

Les corneilles ne se le firent pas dire deux fois. S'il y a quelque chose pour les engager à prendre le large, c'est bien ce que l'on appelait autrefois « du mauvais air » et qu'on nomme aujourd'hui pollution.

Le camion de la B. O. Oil arrivait à peine au sommet de la montée que mes trois corneilles franchissaient vivement le petit pré au bas de la montagne en protestant de toute leur force:

— Pouâh! Pouâh!

Et, de loin, il me sembla les entendre se lamenter:

— Que faire! A cause du manque d'air, allons-nous devoir finir par nous séparer, les hommes et les oiseaux? Eux dans leur village! Nous dans la montagne! Ce sera triste à en mourir.

— A en mourir! reprirent ensemble les deux petits trembles.

— A en mourir! parut acquiescer à coups de sa tête fine un merle tout occupé dans l'herbe auprès de moi à chercher sa nourriture et qui me jeta de côté un regard incisif.

Les corneilles devaient aimer comme je les aimais moi-même les deux frêles arbres si unis que jamais on ne les avait entendus se contredire. Ou bien elles aimaient surtout leur bonne place dans les branches pour voir tout ce qui venait par la route et où, selon elles, c'est peut-être le bon qui l'emporte.

Toujours est-il que les voilà de retour, mais alignées toutes trois sur la même branche comme dans une loge d'opéra, et ne disant mot.

Alors, du côté de Grande-Pointe, flotta une autre odeur âcre, cette fois non tout à fait déplaisante. C'était celle du gros tabac fort que l'on fumait autrefois à la campagne. Enfermée en une pièce close, elle incommoderait sans doute, mais mêlée au souffle du large elle est plutôt agréable. Bientôt parut Wilbrod-l'Innocent, le seul dans le pays à fumer encore de ce fruste tabac des temps anciens. Il avançait, vêtu de sa *bougrine* à carreaux, en bottes de bûcheron, au bec sa pipe pansue, sur l'épaule sa grande faux, cependant que de la poche arrière de son pantalon dépassait la pierre à aiguiser. C'est donc qu'il était retenu pour faucher à la main ces petits coins de pré où ne peut passer la machine — la spécialité si l'on veut de Wilbrod, parvenu lui aussi à en posséder une, tout, autour de lui, étant mécanisé.

D'ailleurs, selon son habitude de toujours s'annoncer à lui-même à haute voix ce qu'il a à faire, je l'entendis se raconter plaisamment:

— Tu vas nettoyer le clos des pommiers chez Aimé. Ensuite tu t'en reviendras chez nous tirer la vache. Pis tu te laveras le corps...

Par une trouée dans les thuyas, je le vis s'arrêter net à la vue des corneilles, immobiles, à l'écoute. Le vieux visage aussitôt s'éclaira joyeusement. Il posa sa faux, le manche sur le gravier, et s'y appuya de même que sur une canne. Dans le nuage de fumée de tabac qu'elles reçurent au visage, les corneilles ne bronchèrent même pas. Wilbrod, la tête levée vers elles, avait commencé de leur parler tout doucement.

— Belles petites filles, va! Belles petites corneilles! Douces petites corneilles!

Aussitôt, on eût dit, les oiseaux se rapprochèrent au plus près de la route dans une sorte de glissement du corps. Leur œil brillant à toutes trois était fixé sur Wilbrod.

— Qu'elles sont donc fines! leur dit-il. Ça voit toute. Ça comprend toute.

Elles penchèrent un peu la tête de côté pour mieux voir entre les feuilles ce curieux homme qui semblait parler en connaissance de cause. Les trembles frémirent au passage d'un souffle léger.

Wilbrod, le bras posé sur sa faux, demanda aux oiseaux:

— A quoi ça pense? A quoi ça peut bien penser? De nous autres? De not' monde?

Ses petites filles ne répondant rien, il leur dit en guise d'adieu:

— Fines, va! Fines comme le jour!

Puis il était parti, sa faux sur l'épaule, tirant de sa pipe une fumée comme il en sort des cabanes des érablières au temps des sucres.

Sur la branche, imperceptiblement, les trois petites formes noires s'étaient déplacées encore un brin pour suivre des yeux Wilbrod-l'Innocent. Et elles l'écoutaient, le bec pointé, dans le plus attentif silence, se raconter:

— Pis tu te laveras le corps. Pis tu changeras de linge... Pis tu diras ta prière...

Et les frères-arbres, d'un même souffle, répondirent:

— Ainsi-soit-il.

La Fête des vaches

Aujourd'hui les vaches sont sur le flanc. Couchées toutes trois ainsi que leurs veaux. A ne rien faire qu'à se laisser délivrer par le vent chaud des mouches, taons et *frappe-à-bord*. C'est la première fois que je voyais cela: en plein jour, pattes repliées sous elles, orientées toutes de manière à recevoir ce vent béni entre les cornes, des vaches se laissant vivre! Je ne les avais jamais vues jusqu'ici que se grattant d'une patte, se grattant de l'autre, la queue en moulinet, les oreilles agitées, le dos parcouru de tressaillements, en état de défense tout le temps contre les insectes qui les torturent. Même en dormant. J'avais fini par penser qu'il était naturel pour elles de dormir deux minutes par-ci, deux minutes par-là, et de vivre et de mourir pour ainsi dire debout. Aujourd'hui seulement, à les voir enfin au repos, je comprends que ce n'est pas beaucoup plus naturel que ce ne le serait pour nous de passer toute notre vie debout.

En coupant à travers le champ où elles étaient si bien à leur aise, je fis attention pour ne pas les déranger et les obliger à se lever.

Aucune ne se leva, mais chacune comme je passais me salua vaguement du fond du regard. Elles parurent me reconnaître au premier coup d'œil aujourd'hui. A cause du vent sec qui leur éclaircissait le cerveau? Peut-être, mais peut-être aussi à cause de mon petit chapeau blanc. J'ai remarqué qu'elles semblent plus vite me reconnaître lorsqu'elles le voient poindre à travers les aulnes. Toujours d'ailleurs avec une certaine stupéfaction, comme si elles se demandaient: « Quand est-ce qu'elle va donc s'acheter un autre chapeau? Depuis le temps qu'on lui voit toujours le même! »

Or, ce qu'elles ne savent pas c'est que, si le chapeau est toujours pareil, ce n'est pas le même. Il se trouve seulement que d'année en année je m'en achète un pareil à celui que je viens d'user.

Je passai donc en zigzag entre elles pour les déranger le moins possible. J'entendais leur respiration tranquille. Peut-être pour savourer au maximum cette journée sans égale dans leur vie, elles ne ruminaient même pas. Elles ne faisaient vraiment rien que de goûter l'existence. De leurs bons gros yeux, elles disaient:

— On est bien. Que voulez-vous qu'on vous dise de plus! On est bien. C'est aujourd'hui la journée des vaches.

Et si elles remuaient encore faiblement la queue c'était, on eût dit, à la manière des chiens, pour témoigner de leur contentement.

Une, deux, au plus trois journées de bien-être au cours de l'été, me dis-je, et les voilà contentes!

En effet, de leurs immenses yeux placides, de toute leur contenance, la face au vent, le dos au fleuve, elles avaient l'air de remercier le ciel d'être venues au monde vaches.

Pas bêtes du tout d'ailleurs, elles s'étaient couchées au sommet de la montée de ce champ, là où l'air circule le mieux. Puis, pour mieux encore goûter le vent, elles y enfonçaient le nez et fermaient les yeux.

J'arrivai chez Berthe presque en état de jubilation.

— Berthe! Berthe! Berthe!

Elle descendait l'escalier raide du grenier. Je ne remarquai pas d'abord qu'elle avait les traits un peu tirés.

— Berthe, les vaches sont couchées. Toutes au repos. C'est la fête des vaches.

J'observai alors qu'elle avait l'air contrariée.

— Qu'est-ce qu'il y a donc, Berthe ?

Mais si pleine de mon sujet, je n'attendis pas la réponse. Je lui dis:

— Des vaches heureuses d'être vaches, Berthe! Aviez-vous déjà vu cela ?

— Oh! si toutes nos amies pouvaient être ainsi, répondit-elle sur un ton de léger reproche.

117

Et elle me mena voir son jardin de fleurs que, dans ma précipitation, je n'étais pas allée, comme d'habitude, contempler en arrivant.

Ah! malheur, tout ici avait souffert! Les pavots pendaient, le visage fané; il y avait des lupins cassés; les roses étaient flétries, les dauphinelles saccagées. Seuls tenaient quelque peu les forts dahlias, et encore!

— C'est ce vent fou, me dit Berthe. Il achève de tout me briser. J'ai fait des remparts, mais il en faudrait à chaque fleur.

Je l'aidai à en élever d'autres. De temps en temps, je jetais un regard du côté des vaches. Sur leur tertre au bout du champ, en relief contre le ciel, elles présentaient une image rare du contentement. Ou peut-être, maintenant que le vent avait tourné de leur côté, d'un certain égoïsme. Elles étaient certainement, en tout cas, l'indifférence même à nos efforts alors que de loin elles nous regardaient peiner pour venir au secours du jardin de fleurs.

— Ah bien! que voulez-vous! Depuis le temps que c'est tous les jours fête pour les fleurs, aujourd'hui c'est la nôtre!

Et elles replongeaient le museau en plein vent qui leur était délice.

La Paire

Tout ce qui vit veut vivre à deux. A besoin de son semblable. Ou, à défaut de son semblable, de quelqu'un d'autre.

Le cheval d'Aimé dut vivre une grande partie de sa vie seul de son espèce. C'est pourquoi il s'était allié avec les vaches.

Il passait l'hiver avec elles dans la même petite étable, et l'été dans le même pré.

L'été il n'était pas complètement avec elles. Les vaches formaient leur groupe bien compact, et lui se tenait un peu à l'écart, mais jamais très loin.

Quand il prenait fantaisie aux vaches de descendre la grande côte et d'aller chercher couvert sous les aulnes touffus, Prince descendait aussi. (Entre nous, ce Prince menait plutôt la vie d'un laquais: rentre le foin, charrie l'eau d'érable, hale le bois coupé hors de la montagne.) Les animaux passaient quelquefois une partie de la semaine en bas, pour la plupart du temps invisibles. Le jour où remontaient les vaches remontait aussi le cheval sur leurs talons.

Cet attachement de Prince pour les vaches ne nous devint cependant perceptible que le jour où Aimé décida de le mettre seul pour quelque temps dans un pré de l'autre côté de la route. Là il avait tout en mieux qu'avec les vaches: du foin n'ayant pas été brouté de l'été; de beaux arbres sous lesquels trouver de l'ombre; même un ruisseau.

Pourtant il ne bougea pas de la barrière, les yeux tournés du côté des vaches là-bas. Il les appelait, hennissait ou appelait son maître pour être délivré, comment savoir! De toute la journée il ne mangea ni même ne but. Et tout porte à croire qu'il ne dormit pas non plus.

Alors, le lendemain, lui jusque-là si doux se prit à envoyer de grandes ruades dans la barrière et à s'y jeter avec force de tout son corps, si bien qu'il était passablement meurtri au bout de quelques heures. Au cours de la nuit suivante, il réussit à enfoncer la barrière. Au petit matin, il était à sa place accoutumée, près des vaches, sur le tertre qui domine le fleuve. Et il broutait avec plaisir l'herbe rare de ce pauvre coin de pays cent fois brouté.

Les jours où les vaches souffraient abominablement des piqûres de *brûlots* et de petites mouches noires, il souffrait à côté d'elles avec patience.

Les jours de repos il se reposait avec elles.

Après quelque temps, Aimé essaya encore une fois de remettre Prince seul de son côté. Cette fois-ci, le cheval sauta presque aussitôt la clôture pour être de retour dans la même journée avec les vaches.

Les animaux eurent encore, çà et là, quelques jours de détente. Ils se tenaient alors tous les quatre dans le vent, les vaches en tête, le vieux cheval en queue de file.

Par ces temps de répit, les vaches plus que jamais semblaient poursuivre de molles rêvasseries que reflétait leur œil placide.

Mais dans le grand œil agité du cheval persistait une ombre, une tristesse lointaine, peut-être le rappel vague d'un bonheur perdu.

Longtemps le cheval fut un animal sauvage et peut-être s'en souvient-il.

Mais avant que ne prenne le mauvais temps le cheval eut une joie qu'il n'avait jamais encore connue de toute sa vie. Un nommé Adélard Dufour, du village, devant s'absenter pour quelques semaines, mit son cheval en pension chez Aimé.

Aimé le conduisit dans le pré aux vaches.

Prince s'avança à la rencontre de l'arrivant. Celui-ci le salua. Aussitôt ils furent amis.

Ils n'avaient pourtant rien en commun sinon que d'être chevaux. Flick, c'était un bon petit cheval blanc, tout doux, qui n'avait presque jamais travaillé, sauf l'été, à rentrer un peu de foin pour sa vache à lui qui lui était tendrement attachée et à laquelle il devait manquer beaucoup ces jours-ci. Prince, c'était un vieux roux usé par le dur transport du bois coupé, l'hiver, dans un abrupt chemin de la montagne enneigée.

N'importe! Depuis qu'ils sont dans le même pré, ils ne se quittent pas. Ils forment leur groupe à eux. Ils font la paire. Ils se tiennent ensemble, têtes croisées dépassant la clôture qui longe la route. C'est là, dès l'arrivée, qu'est venu se planter Flick, comme dans l'espoir, le jour où son maître viendra le chercher, de le voir poindre de loin. C'est ici qu'est venu le rejoindre Prince qui a posé le cou sur le cou du petit cheval pour le consoler.

Depuis lors ils passent des heures, le cou au cou de l'autre, en silhouette contre l'horizon. S'il y a des mouches, ils s'en défendent ensemble d'un même mouvement de la queue et des oreilles.

Leur crinière ondule pareillement au vent.

Et dans leur grand œil est presque disparue l'ombre, la tristesse, la mémoire peut-être.

Danse, Mouffette !

Depuis trois jours ma petite chatte espiègle n'a pas trouvé à me jouer de nouveaux tours pour me faire rire ou fâcher. Ses cachettes sont toutes éventées. Mouffette en est bien dépitée.

Il y eut d'abord celle du dessus du buffet. Ce meuble est un mastodonte. Il touche presque le plafond. Vint le temps, ce soir-là, de mettre Mouffette au lit dans son panier à la cuisine. Je l'appelai: aucune réponse. Évidemment c'est un peu avant l'heure du coucher qu'elle se cherche une cachette, comme si elle se disait: « Enfermée pour enfermée, autant l'être de mon plein gré. »

Je cherchai sous les lits, dans les penderies, en arrière des chaises et du divan. Sans être bien grosse, Mouffette, à quatre mois, est tout de même assez facilement repérable, même la nuit, grâce à son costume blanc rayé de noir.

Finalement, il ne restait plus à aller voir que sur le dessus du buffet. Ce qui m'en donna l'idée c'est que j'aperçus un chemin possible pour s'y rendre: quelques étagères à livres d'abord, puis une catalogne pendant le long du mur, enfin un bout de mur à nu, mais quand on a de bonnes griffes!...

Je plaçai une chaise sur la table. Je grimpai. Et, tassée contre le fond, étirée sans bon sens afin de mieux passer inaperçue, je découvris Mouffette nullement gênée d'avoir été repérée. Bien au contraire, elle eut pour moi une espèce de clin d'œil qui semblait signifier: « Ha! Ha! Je t'ai bien eue, hein! »

Ensuite elle bâilla et vint s'asseoir à l'extrême bord du buffet qui donne sur une baie vitrée qui donne sur la mer. Ma petite chatte fixa les yeux sur le lointain de l'eau et prit un air de contemplation comme pour marquer qu'elle était montée si haut expressément pour obtenir une belle vue d'ensemble. Et il n'y a pas de doute que, par-dessus personnes et meubles, elle devait jouir d'un panorama unique. En tout cas, elle y était si bien qu'il n'y eut que la faim pour la faire descendre.

Dès le lendemain, Mouffette trouva une autre cachette. Jamais la même deux fois! Cette fois-ci elle parvint à se glisser sous le couvre-lit bien tiré sans y faire un seul pli. En somme, à se coucher dans un lit tout fait sans que cela y parût. Elle s'y était à ce point aplatie que je passai bien vingt fois par là sans rien remarquer d'anormal, ni le plus léger bourrelet, ni la moindre fronce. A la vingt et unième fois, un faible mouvement de respiration soulevant d'un rien le couvre-lit capta mon attention. Je le tirai d'un coup sec.

Découverte, Mouffette eut l'air enchanté. Elle passe son temps à se chercher des cachettes, et serait cependant le plus déçue du monde si je ne la trouvais pas.

Mais la joueuse allait en manquer. Il y a des limites à celles que l'on peut s'assurer dans une petite maison de campagne alors que, de surcroît, on a une maîtresse qui s'y connaît dans les espiègleries de jeunes chats.

Toujours est-il que depuis le coup du couvre-lit, Mouffette s'ennuie. J'ai beau lui proposer ses jouets préférés: une bobine de fil, des boulettes de papier-journal avec lesquelles elle joue au hockey, même de grands sacs en papier d'épicerie qu'elle promène à travers la pièce, cachée à l'intérieur, en sorte que les sacs ont l'air de se promener d'eux-mêmes sur le plancher; j'ai beau tout lui offrir, Mouffette vient me trouver pour se plaindre d'un miaulement triste:

— C'était bien plus drôle quand tu me cherchais pendant des heures, mettant la maison sens dessus dessous et que je faisais la morte.

Et la petite endiablée si pleine de tours me bâille démesurément au nez. Je n'en reviens jamais de ce qu'une si petite créature puisse bâiller si grand. Pendant quelques minutes, à court d'idées, elle n'a plus l'air de trouver la vie amusante du tout.

Jusqu'à hier soir. Hier soir, il y avait des *brûlots*. Ce sont d'immondes insectes, invisibles à l'œil nu et qui piquent cependant férocement. Qu'il y ait de la lumière dans la maison, ils franchissent les moustiquaires et vous relancent jusque dans votre lit. Donc je n'allumai pas. Seulement une vieille lampe à pétrole que je garde en cas de panne d'électricité. De plus, quelques bougies à la citronelle. Ainsi, dans la nuit infestée de *brûlots*, j'étais comme dans une forteresse protégée par mes barrages.

Je veillais dans la douce lueur qui me rendait présents plus que jamais l'armoire ancienne, le vieux coffre qui semble provenir de quelque piraterie, le haut buffet bien ciré, des estampes. Mouffette aussi devait se sentir apaisée. Elle me sauta sur les genoux. Elle m'examina longuement les yeux à la flamme des bougies. Et moi-même je croyais voir mieux que jamais les grands yeux à demi phosphorescents.

Survinrent alors de mes amies. Je voulus allumer.

Elles me supplièrent de n'en rien faire.

— C'est tellement plus agréable de veiller à la chandelle.

— Il y a si longtemps que cela ne nous est arrivé.

Alors nous avons redécouvert que veiller à la chandelle, la porte ouverte aux légers bruits de la nuit qui entrent discrètement, est une des merveilles de l'existence à la campagne.

D'abord les voix se font plus douces, se fondent pour ainsi dire dans la pénombre. On ne parle plus pour enterrer la voix les uns des autres ni à toute allure comme si en marquant une pause on allait perdre à jamais la parole. Chacune vient à son tour, mesurée, lente, coupée de silences pleins de signification. Partie du cœur, la voix cherche le cœur.

Mais, à la chétive lueur, les yeux aussi prennent souvent qualité de songe. On dirait de petits lacs cernés de nuit qui miroitent sous le lointain rayon de quelque lumière invisible.

Mouffette, fascinée par ces merveilleux regards humains, allait de l'une à l'autre, sautait sur les genoux de celle-ci, de celle-là, nous regardait à tour de rôle les yeux, puis, soudain, d'un coup de patte, tentait d'en attraper l'éclat.

Chacune la flattait, lui disait qu'elle est la plus jolie chatte du monde, ce que Mouffette ne se lasse jamais d'entendre. Ce petit cœur animal autant qu'un cœur humain a besoin de savoir qu'il est aimé.

Tout à coup, passant dans la lueur d'une bougie, Mouffette aperçut son ombre déformée. Eut-elle peur ? Ne saisit-elle pas déjà plutôt l'effet de comédie qu'elle pouvait tirer de la situation ?

Quoi qu'il en soit, elle fit le broncho. Tête basse, cou tordu pour nous regarder de travers, dos en arche de pont, queue pareillement, elle s'éleva dans l'air des quatre pattes à la fois. Ainsi elle exécuta une série de bonds de côté, nous présentant toujours ce profil menaçant.

Nous riions de bon cœur de voir transformée en animal dangereux cette créature amicale.

Sans doute notre gaieté grisa-t-elle Mouffette. La petite folle jouait maintenant à se faire peur à elle-même.

— Danse, Mouffette! lui demandions-nous.

Regard en biais, oreilles aplaties, dos surélevé, elle s'élance des quatre pattes, sur les quatre pattes retombe.

— Comme c'est beau! Danse!

Et Mouffette s'élève un peu plus haut encore, fait un bond de plus, nous menace de son profil terrible.

— Danse, Mouffette!

Elle saute, retombe sur ses quatre pattes, remonte, nous lance son regard vilain.

Elle danserait toute la nuit maintenant qu'elle a trouvé le tour de jouer à nous faire peur.

Danse la courte flamme des bougies dans leur verre! Danse la lueur amusée des regards humains tout autour! Et danse au milieu de notre cercle la petite forme blanche à rayures noires, folle de son succès!

La Messe aux hirondelles

Jouxtant le pré aux vaches, se trouve, à l'intérieur d'une ceinture de thuya taillé, près de l'étang, une chapelle où peuvent prendre place une quinzaine de personnes. A côté, une rustique maisonnette, que j'appelle le « petit presbytère », tient lieu de retraite à Mon-oncle-curé, frère d'Aimé, quand il revient au pays se reposer. Alors il dit la messe dans la chapelle voisine. Ce peut être le matin. Ce peut être l'après-midi. Ce peut être le soir. Pour annoncer la messe, il tire sur une corde maigre qui secoue une cloche au son grêle. Les jours de grand vent c'est tout juste si on l'entend. Aussitôt des gens se mettent en route de tous les coins du plateau: quelques enfants de chez Lucienne; Petit-Claude qui a revêtu son plus beau costume et s'en vient sous sa casquette; Berthe sans y manquer; du monde de chez monsieur Simon; des étrangers s'il s'en trouve; moi de temps à autre.

Je m'y rends par le pré aux vaches. Celles-ci, alertées par le son menu qui rappelle le tintement de la clochette portée un certain été par feu la Trotteuse, m'emboîtent le pas, me suivent jusqu'à la barrière et tentent de pénétrer sur mes talons dans l'enceinte pieuse.

Pensent-elles trouver au bout de ce tintement trace de la défunte qui a laissé un si plaisant souvenir ? Ou sont-elles dévorées par la curiosité d'apprendre enfin pourquoi s'assemblent ici en plein jour, sans y rien faire apparemment, tant de leurs connaissances ? Quoi qu'il en soit, elles restent à la barrière tout le temps que dure la messe, debout dévotement.

Comme Mon-oncle-curé la dit porte ouverte — autrement on étoufferait — les vaches, de leur place, du coin de l'œil, peuvent assez bien suivre la messe.

Mon-oncle-curé, qu'on a pu voir un instant auparavant détendu dans son ancien pantalon de velours côtelé et son pull à col roulé, apparaît dans une chasuble brodée de fil d'or. Petit-Claude en écarquille les yeux à se les faire sauter hors du visage. Mon-oncle-curé nous salue de quelques mots amicaux, étant donné que nous sommes voisins, puis s'absorbe dans la messe.

Nous avons tous plus ou moins le nez touchant l'autel. Coude à coude, nous devrions nous sentir à l'étroit. Mais c'est tout le contraire à cause de la porte ouverte qui laisse entrer l'étang à la surface claire, les collines bleues aux replis qui n'en finissent plus, un pan du ciel et du fleuve vers la pointe de l'Ile aux Coudres. Quelquefois même passe dans notre champ de vision un cargo enveloppé de sa fumée.

Ainsi dans cette petite chapelle de rien du tout pénètre le lointain.

La messe commencée, arrivent à la bousculade les hirondelles qui se précipitent comme pour faire oublier leur retard. Et passent en rase-mottes au-dessus de l'eau et y trempent le ventre et en s'ébrouant nous aspergent de loin comme d'une eau bénite.

— Nobis-nobis, croit-on les entendre dire avec leurs petits cris de souris.

Elles n'ont pas l'air de savoir que la messe ne se dit plus en latin.

« O Christ, prends pitié », dit Mon-oncle-curé.

— Nobis-nobis, répliquent à cris menus les hirondelles.

« Prends pitié », enchaîne Petit-Claude de sa claire voix chantante.

— Pitié! exhalent à la barrière les vaches dans un grand soupir.

Elles se poussent l'une l'autre, sans brusquerie, pour tâcher de mieux voir à l'intérieur de la chapelle. Alors survient Miquette, berger allemand de Petit-Claude. D'un regard sévère, il la cloue sur place à l'entrée. Elle s'y couche, le corps à l'extérieur, le museau seulement dans l'église. Et, les yeux levés de terre sur nous et sur l'officiant, ses pattes d'avant jointes, elle a une attitude si pieuse qu'il faudrait un cœur de pierre pour la renvoyer.

« Le Seigneur soit toujours avec vous », dit le prêtre.

« Et avec votre esprit. »

L'air qui toute la journée a été chargé d'électricité crépite. Au loin s'annonce le tonnerre. Les collines en roulent les grondements. Et soudain l'orage est sur nous. On dirait la pluie appliquée à enfoncer des clous dans le faible toit qui nous protège. Elle bouscule la cloche dans son menu clocheton. La chapelle en entier menace d'être emportée au vent. Les collines sont noyées. Du vaste horizon d'il y a quelques instants, rien ne subsiste qu'une vague couleur blême. Les hirondelles ont trouvé abri. Miquette, à mouvements discrets de ses pattes repliées, avance jusqu'à se mettre enfin à couvert sauf pour la queue qu'elle n'a pas l'audace de tirer aussi dans l'église.

A la barrière, sous le déluge, on distingue mal les vaches qui ne bronchent pas cependant. Un moment, je crois deviner derrière leur groupe, qui tente de voir aussi dans la chapelle, Prince au grand œil triste. Puis il s'éloigne. Ou c'est la brume qui l'absorbe.

« La nuit même où il fut livré, raconte le prêtre, il prit le pain, en te rendant grâce, il le bénit, il le rompit et le donna à ses disciples en disant:

« Prenez et mangez-en tous:

Ceci est mon corps livré pour vous. »

Nous avons oublié qu'il est Mon-oncle-curé. Il n'est plus que le prêtre. De même nous ne sommes plus, pour un instant du moins, que des enfants du Père.

Aussi brusquement qu'il a éclaté l'orage cesse. Apparaît une trouée lumineuse. C'est comme une petite fenêtre s'ouvrant dans le haut mur du ciel.

Les hirondelles reprennent l'air et, en passant devant le seuil, leurs répons à peine perceptibles:

— Nobis-nobis...

« De même, à la fin du repas, il prit la coupe, en te rendant grâce il la bénit, et la donna à ses disciples, en disant:

« Prenez et buvez-en tous... »

La merveilleuse histoire une fois encore se déroule et une fois encore nous plonge dans le ravissement.

Sous le regard de Petit-Claude, Miquette rampe à reculons hors de l'église. Elle n'y est plus qu'à moitié, la tête à peu près sèche, le dos humide, la queue si pleine d'eau qu'en la tordant on en tirerait bien un bénitier plein.

Petit-Claude s'avance le premier pour recevoir l'hostie dans sa paume tendue. Il a le geste de qui attend un trésor. Son visage brille autant que le doux paysage fraîchement lavé. Miquette lève sur lui un regard qu'on ne lui a encore jamais vu, humble et en même temps fier comme si elle avait pour maître un roi.

Les jeunes communient à la mode nouvelle, les vieux à l'ancienne.

Soudain, en frottant l'un contre l'autre leurs élytres, les grillons s'avisent de jouer un air d'accompagnement à la communion. Les vaches à la barrière s'arrachent presque le cou pour voir ce que nous sommes en train de manger. Prince reparaît une minute, dépassant de la tête le groupe des vaches, puis s'en va de nouveau. La messe ne l'a jamais beaucoup captivé, un peu lourd comme il est d'esprit.

« Que la paix du Seigneur soit toujours avec vous », reprend le prêtre.

— Nobis-nobis, réclament à voix menue les hirondelles, pour une fois plaçant bien leurs répons.

Le prêtre ouvre les bras, nous souhaite:

« Allez dans la paix du Christ. »

Dès le seuil, nous sommes éblouis par l'éclat du paysage, toute poussière emportée par l'averse. Les feuilles retiennent, chacune, des bulles. Le ciel est une matière qui flamboie. Les collines l'une après l'autre renaissent à notre vue, avec le contour que nous leur avons toujours connu et qui nous est cependant révélé à l'instant. Alors apparaît un arc-en-ciel tendu de part en part de l'étang comme un pont suspendu. Puis une portion croule, et le pont s'arrête à mi-chemin du ciel, un peu comme le pont d'Avignon à mi-chemin du Rhône.

— Nobis-nobis, reprennent les étourdies qui, à vrai dire, ont servi la messe tout de travers et maintenant n'ont pas l'air de la savoir terminée.

140

Alors, par le sentier à travers le haut foin, arrive en toute hâte la chatte grise de Berthe, déçue au possible d'avoir manqué la messe, elle qui aime tellement y assister, assise sur sa queue.

Miquette se colle à Petit-Claude et lève sur lui un regard de profond respect. L'enfant lui fait une caresse sur le front. Les vaches s'empressent de s'écarter pour nous céder passage, mais sans cesser de nous observer étroitement d'un regard fixe.

On dirait qu'à nos bêtes domestiques est venu pour nous aujourd'hui un sentiment d'adoration.

Ou peut-être une humble, une confuse jalousie.

— Qu'est-ce qu'ils connaissent de plus que nous ? Ont vu aujourd'hui ? Reçu ? Et qui laisse pour un moment sur leur visage cette beauté ?

Le Jour où Martine descendit au fleuve

I

Tontine arrive à ses vieux, vieux jours. Au long des veillées dans la cuisine chez Aimé elle somnole. Elle est sans intérêt pour nos conversations sur l'enchérissement des denrées, l'inflation, la guerre au Vietnam — ne finira-t-elle donc pas un jour! Son sommeil est coupé de cauchemars sans doute violents, car on la voit parfois tressaillir tout en poussant une plainte. Il y a longtemps qu'elle n'a pas dansé de joie en entendant parler du fleuve. Par égard pour ses vieux os, nous évitons de prononcer le mot devant elle. Nous usons de détours. Nous disons, par exemple, Berthe et moi: « Allons-nous descendre... vers... vers le bord de l'eau? » Nous avons fini par rayer même ce mot de notre vocabulaire, car elle en était venue à l'associer au fleuve, ou plutôt à la mer ainsi que l'on nomme ici le plus souvent le Saint-Laurent.

Maintenant, lorsque nous baragouinons entre nous, elle ouvre l'œil et nous lance un regard empreint de cette méfiance qui vient au vieil âge quand se trame autour de lui pour le protéger une sorte de conspiration. Et parfois ce beau regard attristé de la petite chienne nous fait reproche de ne plus parler clair.

Mais tellement fine encore, elle est parvenue à saisir que lorsque Berthe chausse ses bottes de caoutchouc, c'est presque toujours pour aller au fleuve. Aussi bien, l'autre soir, comme Berthe ouvrait le placard aux bottes et aux balais sous le coude de l'escalier, Tontine s'est levée d'un bond. Elle a tenté, au milieu de la cuisine, de se livrer à ses vives démonstrations de naguère, marquées de rires, de gambades et de supplications. Borgne, la hanche ankylosée, le cou raide, elle parvint à témoigner de la joie qui l'avait habitée au cours de ses jeunes années. Car, tout comme pour un être humain, le bonheur de sa vieillesse lui vient du souvenir d'avoir été jeune et pleine de vitalité.

Elle me fait penser à la vieille cousine Martine revenue au pays après cinquante années d'exil dans un logement sans air ni horizon pour revoir, avant de mourir, la mer.

II

Ses enfants l'avaient amenée en automobile. Ils
s'étaient mis à quatre pour l'aider à descendre et la
soutenir dans les marches du perron, puis la conduire
vers la chaise la plus proche.

Pendant quelques jours elle se berça dans la
cuisine tout contre la fenêtre qui donne sur la mer, lui
jetant un regard à chaque mouvement en avant de la
chaise.

Elle disait: « Elle monte... Elle monte encore... »
Puis: « Elle commence à baisser... Elle baisse... »

De ce qui était peut-être le plus grand attachement de sa vie, c'est tout ce qu'elle trouva d'abord à
dire: « Elle monte... Elle baisse... »

On lui avait donné une chambre avec vue sur
le fleuve où, avant de se coucher et dès le réveil,
elle avait loisir de le contempler encore. Cela finit
par ne plus être assez pour son désir. Un jour, on
entendit cette petite femme douce se lamenter:

— Si c'est pas de valeur! Si c'est pas une pitié! Être venue de si loin, et même pas descendre au fleuve!

— Hé! Hé! Hé! riposta assez sévèrement son fils aîné, Edgar. Descendre au fleuve! Vous y pensez pas, la mère! Déjà, pour avancer dans la maison, il vous faut le soutien d'une chaise. Et vous voudriez descendre la grande côte! Tâchez de retrouver votre bon sens, la mère!

— J'ai fait du progrès, se défendait Martine.

C'était vrai; elle réussissait seule sept ou huit pas, de son lit à la fenêtre, pour aller regarder encore une fois avant de se coucher la mer qui montait ou descendait.

L'autre fils, Déodat, moins impatient, entreprenait lui aussi de la raisonner:

— C'est déjà beau, la mère, qu'on vous ait amenée passer deux bonnes semaines dans le pays. Rappelez-vous la misère qu'on a eue pour vous descendre du troisième chez nous par l'escalier raide! Faudrait pas en demander trop!

Et eux, après avoir raisonné la mère, s'en allaient pour la journée pêcher la truite dans le ruisseau de la montagne.

Martine se tenait tranquille pendant quelques minutes, les yeux rivés au loin, puis, sans se douter qu'elle parlait haut, recommençait:

— Si je pouvais encore une fois au moins dans ma vie descendre au fleuve!

148

— Le fleuve! Le fleuve! Vous le voyez d'ici, la mère!

Martine, égarée dans ses songeries, ramenait un regard étonné vers qui parlait ainsi sans rien comprendre, poussait un soupir, renonçait à donner des explications. Il y a tant de choses que les vieux renoncent à expliquer aux plus jeunes que ceux-ci ne comprendront, de toute façon, que le jour où eux aussi renonceront à les expliquer à d'autres plus jeunes, et ainsi se boucle la ronde sourde des générations.

Mais Berthe, quoique pas du tout âgée encore, comprenait l'ardent désir qui travaillait le petit corps de la cousine Martine déformé par l'arthrite. Elle l'assura un jour:

— Renforcez-vous encore un peu, cousine. Puis on ira, vous et moi, à la mer.

— Tu ferais ça! Tu t'encombrerais de moi!

Au fond du visage ridé, les yeux rayonnèrent d'un tel éclat qu'ils nous firent apercevoir un peu de la jeune Martine que nous n'avions pas connue.

J'entrai dans le jeu:

— J'irai aussi. A trois ce sera mieux.

— Mes petites filles! Que vous êtes donc fines! La belle journée qu'on va passer ensemble!

— Aux endroits les plus raboteux, on vous soutiendra, on vous portera un brin, dit Berthe.

149

— Tant qu'à cela, pourquoi est-ce que je vous descendrais pas en tracteur! proposa Aimé, tout plein de bon vouloir.

Martine lui jeta un regard indigné.

— En tracteur au fleuve!

Puis elle se mit à rire d'un rire frais et clair:

— En tracteur au fleuve! A mon âge! Quand j'y pense! En tracteur!

Et c'était comme si elle se fût écriée: A l'église en tracteur!

Aimé, un peu interloqué, se défendit:

— Moi je disais ça pour aider... des fois.

En fait, nous fûmes quatre à descendre au fleuve. Car Tontine en était. Devant le soudain branle-bas de la maison, elle s'était douté qu'il se préparait un événement d'importance. Quand, pour comble, à l'instant du départ, Martine, en robe de satinette noire, demanda en plus son chapeau de ville, Tontine fut prise de folie et criait à fendre l'âme:

— Je veux y aller! Je veux y aller moi aussi!

— Elle peut venir, se laissa arracher Berthe. Au train où nous irons, ça ne la fatiguera pas plus que de s'user à tâcher de passer à travers la porte moustiquaire. Viens donc, ma pauvre petite folle.

Martine, ragaillardie par l'air vif de cette matinée d'été, soutenue par l'enivrement du départ, fit un bon bout de chemin presque sans aide. Elle allait, tremblante et incertaine, mais le visage exalté comme un enfant qui apprend ses premiers pas.

Arrivées à la clôture, houp! nous avons saisi la menue vieille sous le bras, l'avons soulevée par-dessus le fil de fer et déposée de l'autre côté. Martine en riait encore quand nous l'avons rejointe, nous deux en passant également par-dessus, Tontine par en dessous.

Alors, comme elle était un peu fatiguée, de rire peut-être autant que de marcher, nous lui avons fait, Berthe et moi, de nos quatre mains croisées une sorte de petit siège où elle prit place, assurant son équilibre d'un bras passé autour du cou de chacune. Enfant, quand je jouais avec d'autres enfants à traverser la jungle, j'étais quelquefois le potentat qui se laisse ainsi porter, mais le plus souvent l'un des esclaves porteurs du potentat. Martine s'étouffait de rire à se voir ainsi transportée au-dessus du foin haut. Elle nous donnait à chacune de temps à autre de légères tapes d'encouragement sur l'épaule. Tontine fermait la marche en ayant l'air de rire elle aussi, les dents à découvert, mais c'était peut-être chez elle l'expression d'un étonnement sans bornes. Car elle n'avait encore jamais assisté dans notre pays au spectacle d'un être humain porté à dos de main à travers les foins. Elle n'était pas jalouse toutefois et, quand Martine laissait pendre une main, elle venait la lui lécher.

Au bord du bosquet d'aulnes et de bouleaux où s'amorce la descente de la côte, nous nous sommes arrêtées et avons assis la cousine sur une pierre lisse. Elle a beau être menue, menue, pesant à peine plus de quatre-vingts livres, nous étions essoufflées. Nous avons donc pris place à côté d'elle.

— Pauvres petites! dit-elle, elle-même à bout de souffle, je vous tue quasiment.

Nous avons dit que non, pas du tout, que nous étions prêtes à repartir, et nous nous sommes mises à sucer des herbes tendres cueillies autour de nous.

L'endroit était sombre, feuillu, sans vue sur le fleuve. La conversation devint mélancolique. Nous avons découvert alors que la cousine Martine n'était pas très différente des oiseaux de rivages, presque joyeux un instant, tristes à l'autre.

— A Hochelaga, dit-elle, je n'étais pas tellement loin du fleuve. J'aurais pu y aller plus souvent. Mais, les quelques fois que j'y allai à pied, je l'ai à peine reconnu. Sur les bords, on ne voyait plus l'eau. Seulement des pelures de bananes, des écorces d'oranges, des papiers sales jetés du pont des bateaux. Et puis on ne respirait pas autre chose que l'huile. Une fois seulement, en fermant les yeux, j'ai attrapé, venant de loin, une faible, faible odeur de marée, puis je l'ai perdue.

Elle se tut, ses deux mains croisées sur son ventre creux.

Il était difficile d'accepter l'idée que de ce petit corps fluet étaient issus le gros et grand Edgar pesant près de deux cents livres et Maurice qui mesurait presque six pieds. Même les filles, auprès de leur mère pliante comme un roseau, avaient l'air de grands arbres bien plantés.

— J'en ai eu quatorze, nous dit Martine, quatorze enfants. Aujourd'hui, avec deux ou trois à élever, les femmes se plaignent: « C'est trop cher; c'est trop de besogne... » Moi, j'en ai élevé quatorze, reprit-elle avec fierté.

Puis la tristesse gagna sur l'allégresse dans sa voix fêlée.

— J'en ai perdu plus qu'il ne m'en reste. Il y a Géraldine... C'était fin, toute petite, cette enfant-là! Après ça, Marie-Ange, ma plus belle peut-être!

Un goéland argenté pleurait au loin en passant et repassant dans un coin de ciel que nous pouvions apercevoir de notre abri sous les arbres.

D'une voix pareillement plaintive, Martine racontait ses enfants morts.

— Horace qui était si doux!... Jamais vu un petit enfant aussi doux. Puis ma petite Solange...

Tontine qui possédait toujours son flair admirable pour pressentir la douleur des êtres, s'approcha de Martine et la regarda profondément dans les yeux avec compassion. Et la vieille petite mère humaine regarda à son tour profondément la vieille petite

153

créature animale et lui flatta le front d'un geste empreint de sympathie.

Alors nous avons repris la cousine sur le siège fait de nos quatre mains croisées et en route encore une fois! Berthe disait:

— Voyons, cousine, c'est pas une journée pour le chagrin! Le fleuve vous attend. Faut pas lui faire mauvais visage.

— C'est bien vrai, dit Martine, qui recommençait à sourire sous le bord de son chapeau.

Puis elle décida:

— Qu'est-ce que j'ai besoin de ça! et enleva son chapeau qu'elle accrocha en passant à une branche où il serait facile, au retour, de le retrouver.

Ses cheveux fins au vent, elle se reprit à rire de son léger rire moqueur.

— C'te idée d'Aimé de me descendre au fleuve en tracteur!

Elle tourna la tête pour mesurer avec contentement le chemin déjà parcouru et déclara:

— C'est mieux d'aller à pied comme nous trois.

— Eh oui! l'avons-nous approuvée, c'est bien mieux faire route à pied comme nous trois.

Un peu plus bas, n'en pouvant plus, nous l'avons déposée sur le talus du chemin forestier. Elle nous dit, sans tout à fait autant de compassion que la première fois peut-être:

— Pauvres petites! je vous fatigue. C'est dur, hein? Mais à votre âge on se remet vite.

Le plus curieux c'est que nous deux, qui nous étions la veille au soir déclarées plus bonnes à rien, nous nous découvrions encore alertes aujourd'hui à côté de Martine. Le don miraculeux des vieilles, vieilles gens, c'est peut-être de faire se sentir jeunes encore des gens qui ne le sont plus tout à fait.

Nous avons repris, déposé, repris la cousine Martine. Au sortir du chemin forestier, alors que le fleuve apparaît dans son ampleur, nous l'avons mise debout, car, tout à coup impérieuse et indépendante, elle entendait aller vers lui « sur ses propres jambes ».

Il lui fallut bien toutefois accepter un peu notre aide encore pour franchir le chemin de fer, puis un champ, puis un dernier passage raboteux entre de gros blocs de pierre.

Mais maintenant nous étions tout au bord du fleuve. Elle nous repoussa avec une sorte d'impatience, des deux bras à la fois. Elle continua seule, sur les galets, dans le sable rude. Elle ne vacillait plus. Tout son être la portait en avant comme une créature tendue vers Dieu.

La laissant seule avec le fleuve, nous sommes remontées nous asseoir un peu plus haut, non sans la prévenir:

— Méfiez-vous des grandes vagues après le passage d'un bateau!

Elle nous jeta alors un regard par-dessus l'épaule pour nous laisser entendre:

« Ce n'est tout de même pas vous autres qui allez m'en apprendre sur « mon » fleuve. »

Tontine aussi parut inquiète. Elle rôda un moment autour de Martine, nous demandant d'un regard tracassé: « Est-ce que ce n'est pas dangereux de la laisser seule? » puis finit par remonter s'asseoir à la place qui restait sienne depuis des années, à l'abri, derrière les gros blocs de pierre.

Martine ne bougeait plus. A ses pieds se défaisait un friselis de vagues dans un tendre chuchotement. Autour d'elle dans sa jupe noire, tout était bleu aujourd'hui; bleue l'eau jusqu'au plus lointain; bleue la ligne des collines étagées du côté des Éboulements; bleue l'ombre de l'Ile aux Coudres tout juste apparaissant au ras du fleuve.

Elle se tenait au seuil de l'immensité, avec le regret de ses enfants morts et le souvenir des peines endurées, avec ses deuils et ses chagrins, avec la mémoire de l'attente sans fin de ce retour au fleuve. Et tout était pesé dans une mystérieuse balance: l'attente cruelle et cet instant radieux d'aujourd'hui. Et qui sait si ce n'était pas l'instant qui l'emportait!

Le vent taquin retroussait sa jupe à l'ancienne mode, longue sur les mollets, et dérangeait ses cheveux.

De la main, avec patience comme elle avait vécu, elle replaçait sa jupe; ensuite ses cheveux en glissant les plus fous sous les plus sages. A un moment elle tourna vers nous un visage sur lequel la jeunesse perdue mettait soudain le reflet d'un soleil lointain.

— Je pense quasiment que je vais me déchausser. Me mettre les pieds à l'eau. Me semble que ça me ferait du bien.

Nous sommes descendues l'aider. Elle s'est assise sur le bord d'une pierre. Nous lui avons enlevé ses gros souliers plusieurs fois ressemelés et raccommodés.

— C'est les seuls dans lesquels je ne suis pas trop mal, dit-elle en guise d'excuse.

Nous lui avons retiré d'épais bas noirs. Alors sont apparus ses pieds, petits et blancs comme des pieds d'enfants, mais malmenés à ne pas le croire! Et c'était sur ses pauvres petits pieds de rien du tout que Martine avait traversé sa dure vie. Elle les regardait comme surprise elle-même de ce qu'ils avaient pu supporter.

— Ils m'ont tenue deboutte des fois le temps de repasser d'affilée vingt-cinq chemises d'hommes.

Nous les lui avons frictionnés doucement. Nous l'avons accompagnée jusqu'au bord de l'eau. Elle y est entrée bravement en remontant un peu plus haut sa jupe. Tontine était redescendue et nous demandait, la mine inquiète: « Vous pensez vraiment qu'on devrait la laisser faire? » Et elle s'assit pour surveiller

157

au plus près cette vieille cousine dont le comportement ne lui revenait pas.

Audacieuse, Martine avança d'un pas encore. L'eau encerclait ses chevilles pâles. L'air du large baignait son visage usé.

Dans le déploiement d'eau et de ciel, elle faisait une tache guère plus importante que celle d'un oiseau noir battant des ailes sur la grève. Une des corneilles parmi les plus âgées crut-elle apercevoir sa pareille? Elle tourna plusieurs fois au-dessus de la cousine. Puis elle finit par laisser échapper une sorte de cri de surprise:

— Ça serait-y pas, revenue au pays, la petite Martine d'autrefois qui n'aimait rien tant que de barboter dans l'eau?

— Pas possible, pas possible! croassa une autre très vieille corneille qui passait aussi pour bien se rappeler les temps anciens. La petite Martine aurait aujourd'hui soixante-dix-huit... soixante-dix-neuf ans... Ce ne serait donc plus du tout la petite Martine.

— C'est encore la petite Martine. Regardez: elle barbote toujours dans l'eau.

Martine suivait le dialogue d'un air émerveillé comme si elle saisissait quelque chose de ce qui se disait dans le ciel.

Pour ma part, plus je la regardais et plus elle me faisait penser à ces pèlerins du Gange, à Bénarès, que l'on voit, le pagne retroussé, maigres à faire peur, mais le visage illuminé de ferveur.

Nous avons fini par enlever aussi nos chaussures et la rejoindre. Je pense qu'elle fut contente de nous avoir à ses côtés au cas où elle trébucherait. Mais elle ne voulait pas qu'on la tienne par la main, ni non plus pour l'instant qu'on lui parle. Elle était devenue soudain toute présente à l'invisible, comme si derrière cette journée attendue toute sa vie elle en percevait une autre infiniment plus radieuse encore. Et elle avait besoin de son attention entière pour capter ce qui passait entre elle et le monde.

Tout à coup, pieds nus au bord du ciel d'été, elle se prit à poser des questions — les seules sans doute qui importent :

— Pourquoi est-ce qu'on vit ? Qu'est-ce qu'on est venu faire sur terre ? Pourquoi est-ce qu'on souffre et qu'on s'ennuie ? Qu'est-ce qu'on attend ? Qui est-ce qui est au bout ? Hein ? Hein ?

Le ton n'était pas triste. Inquiet peut-être au départ. Mais peu à peu il se faisait confiant. C'était comme si, sans connaître encore tout à fait la réponse, elle la savait bonne déjà. Et elle était contente enfin d'avoir vécu.

Ensuite, presque aussitôt, elle croula de fatigue, d'émotion et d'avoir touché au but mystérieux.

Nous l'avons ramenée sans lui laisser poser le pied nulle part sur le sol. Tontine n'en menait pas large non plus, mais nous n'avions plus de main libre pour lui être secourable.

Ce fut leur dernier voyage à toutes deux au fleuve.

Tontine, on la trouva morte, un matin, à sa place, derrière le poêle.

Martine, à peine de retour dans l'étroit logis sans horizon et sans lumière, prit son envol. Elle s'en alla vers les espaces ouverts que toute sa vie elle avait désirés.

Les Visiteurs de la journée

Aujourd'hui plusieurs de mes amis sont passés me rendre visite.

Quelques-uns sont venus que je n'ai même pas vus, seulement entendus.

Entre autres le moqueur-chat.

Mon transistor à côté de moi, j'écoutais dans ma balançoire une cantate de Bach relayée par Sainte-Anne-de-la-Pocatière.

Merveille des merveilles! Dans une quelconque capitale du monde, des musiciens ont interprété la cantate, qu'une pellicule a fixée et que me transmet la Pocatière par-delà le fleuve pour la mêler au chœur de mes pins chantant à pleine voix: « Hallelujah! La journée est magnifique! »

Alors le moqueur-chat se mit de la partie. Il joua ce qui ressemblait à un accompagnement de flûte à bec. Un petit air plein de finesse se détachant tout juste de l'ensemble des instruments.

Puis s'éteignit la musique de Sainte-Anne-de-la-Pocatière et le flûtiste, entraîné par son élan, continua seul un moment avant de s'arrêter au milieu d'un trille, gêné soudain d'avoir attiré sur lui l'attention.

Sortit alors d'un massif de thuya un oiseau d'allure si modeste dans sa tenue gris ardoise que, ma foi, je ne l'aurais jamais pris pour le brillant soliste de tout à l'heure. A peine d'ailleurs l'avais-je entrevu qu'il partait en tournée de concert chez les voisins. Et tant mieux pour eux et tant pis pour nous!

Ensuite vinrent se disposer à divers étages du même arbre sept jaseurs des cèdres, comme pour être vus dans leur beauté de tous les côtés à la fois.

Sur ces entrefaites arrivèrent de mes amis humains. Ils virent dans l'arbre les oiseaux splendides. Comme ils sont de la ville et peu gâtés par de tels spectacles, ils s'écrièrent:

— Ah! les magnifiques créatures!

Maintenant qu'ils avaient fait leur effet, les jaseurs des cèdres pouvaient s'en aller. Ce qu'ils firent sans tarder.

Pendant quelques minutes il n'y eut aucune autre arrivée d'oiseaux. Ma visite humaine jacassait trop fort.

Hors quelques corneilles familières qui tous les jours au passage me lancent:

— Salut!

164

Depuis qu'elles m'ont surprise un jour, dans ma balançoire, un cahier sur les genoux, à écrire des histoires, elles se gardent bien de me déranger. Mais elles ne se résigneraient tout de même pas à passer au-dessus de chez moi sans me dire au moins:

— Bonjour! Bon travail!

Plus tard, quelques goélands argentés vinrent survoler notre petite vie terrienne. Il leur arrive ainsi quelquefois au cours de l'été, on ne sait trop pourquoi, de délaisser le fleuve et leur existence habituelle, pour s'aventurer assez loin dans les terres. Alors ils planent au-dessus des champs, des haies, des maisons. Leur vient-il un désir de changer de vie avec les oiseaux de terre? Est-ce cela ou autre chose? En tout cas, on entend leur cri de barrière grinçante tout proche ces jours-là. Et l'étrange bruit est malgré tout beau à entendre, si mystérieux que personne n'est encore parvenu à en saisir le sens.

Mais le goéland argenté est surtout admirable pour son vol.

Nous l'avons regardé planer, virer debout sur l'extrémité de l'aile, reculer pour ainsi dire dans le vent, se remettre d'aplomb, faire toutes ses finesses.

Les performances exécutées, les goélands aussi quittèrent la scène.

Ensuite sont venues se faire admirer pour leur vol également, tout en à-coups, une bande d'hirondelles.

— Ah! des hirondelles! se sont exclamées mes amies.

C'est un fait, cet oiseau n'a qu'à paraître pour qu'on l'applaudisse. Jamais, à ma connaissance, on n'a salué pareillement d'autres oiseaux. Il est vrai que la plupart dans leur modestie n'y tiennent pas. En tout cas, il n'y en eut pendant une dizaine de minutes que pour les hirondelles.

Puis, un quart d'heure plus tard, alors que nous bavardions ensemble très fort au jardin, voici qu'intervint sans façon dans notre conversation un petit bout de phrase sans rime ni à propos:

— M'as-tu-vu Fré-dé-ri, Fré-dé-ri, Fré-dé-ri?

C'était le pinson chanteur.

Lui il chante quand ça lui chante. Qu'il y ait chez moi de la visite ou pas, que ce soit jour brillant ou jour nuageux, peu importe. Il a son heure pour chanter et n'en démord pas.

Il a sa cachette aussi, mais il ne faut pas le dire: c'est juste au-dessous de la troisième branche à partir du pied de l'immense épinette vert sombre à côté du bouleau à sabot de cheval.

Mes amies s'étaient mises à parler de romans à succès, de mode en littérature, et le petit fou n'arrêtait pas de turluter:

— M'as-tu-vu?

— Qu'est-ce que c'est que cette ritournelle aga-çante? finit par se plaindre Edmonde de Saint-Martin qui parlait justement le plus.

Je lui dis que c'était un de mes visiteurs les plus assidus et les plus aimables, et qu'au reste chacun de nous, par le ton de voix ou le nez ou quelque autre caractéristique, s'apparente à un oiseau quelconque.

— Ah-bien-écoutez-moi-la-donc! se moqua Ed-monde de Saint-Martin sur un ton si semblable à celui du « M'as-tu-vu » que nous avons toutes eu le sourire, sauf Edmonde de Saint-Martin qui ne s'était nulle-ment reconnue.

Ensuite il y eut branle-bas général. Quelqu'un — est-ce Alice? est-ce Adrienne? — avait vu apparaître un colibri.

— Il est ici!

— Non, il est là!

Nous étions comme des folles, courant de ce côté-ci, de ce côté-là, à tâcher de distinguer le colibri d'entre les fleurs du jardin.

— Le vois-tu?

— Non, et toi, tu le vois?

Enfin nous l'avons repéré au même moment: un petit hélicoptère vivant qui montait et descendait se ravitailler de fleur en fleur.

On voyait le long bec s'enfoncer dans le calice des lys, s'en retirer, piquer au cœur une campanule.

Pour ce qui est du corps de l'oiseau, on le voyait à peine tellement il est minuscule, vif et de couleur semblable aux fleurs qu'il fréquente.

Allant de l'une à l'autre, il a tout l'air de leur donner la bise, de les aimer chacune d'elles, mais ce n'est qu'en passant.

— Quelle merveille! s'écria notre Alice.

Je lui passai un bras autour du cou. Parmi nous, Alice est un peu notre colibri.

— Ah! dit-elle à l'une d'entre nous, il n'y a personne comme toi. — Puis se tourne et dit à une autre: Cher beau Trésor en or, tu n'as pas ton pareil! — Puis dit à une autre encore: Ange de mon cœur, qu'est-ce que je ferais sans toi?

Et même si on sait qu'Alice se répète, on aime encore mieux sa ritournelle à elle que la ritournelle des mines-longues-et-paroles-sèches.

— Cher colibri! lui dis-je.

Et l'étonnant est qu'elle ne parut guère enchantée du compliment.

Peu après, mes amies dirent qu'il était temps de partir si elles voulaient arriver avant la nuit. Nous nous sommes embrassées dans la maison. Puis sur le perron. Puis à la barrière. (C'est un fait qu'à la campagne on s'embrasse plus qu'en ville.) Puis de l'auto qui démarrait elles agitaient la main. Puis je fus seule.

A cette heure toujours un peu triste quand viennent de me quitter mes amies et que le soir va tomber, il se fait un vide, il m'arrive de tourner en rond, de ne savoir trop que faire de moi, il me manque je ne sais quoi, je me sens seule et je finis par venir m'asseoir dans la balançoire.

Alors apparaît le merle. C'est un oiseau sans grand talent pour le vol ni non plus pour le chant, au dire de certains, quoique me plaise à moi son joyeux sifflement de promeneur s'en allant les mains dans les poches.

Vêtu de gris brun tout simple, il n'a pour parure que son plaisant gilet couleur rouille si bien ajusté. Il arrive à pied. Le jour, on peut le voir sur la branche et, à l'occasion, sur les fils du téléphone. Mais le soir ce n'est jamais qu'un petit piéton, comme vous et moi. Et commence son manège. J'avance de quatre pas dansants. Au cinquième, m'arrête. Bombe la poitrine. T'épie, toi, dans la balançoire, du coin de l'œil. Et recommence: quatre pas dansants; poitrine relevée, vif regard de côté.

Ainsi pendant des heures, sans perdre patience, le merle me tient compagnie, faisant cent fois, mille fois, le grand tour de la balançoire.

Je pourrais sans doute l'amener, comme on dit, à manger dans ma main. Mais à quoi bon! Il vient dès que je suis seule, dès qu'il n'y a plus de bruit en moi ni autour de moi. Il n'était nulle part voilà un instant. Maintenant il ne me quitte plus.

Et je fais mes quatre pas dansants. Et je bombe la poitrine. Et je te regarde du coin de l'œil. Et te trouve l'air un peu triste ce soir. Il ne faut pourtant pas s'en faire. Il est vrai, il y a toujours un moment pénible quand la journée va finir. J'en sais quelque chose. On a plus grand besoin que jamais d'un ami.

Nous veillons tard, le merle et moi. Il fait presque sombre qu'il est encore là à faire le tour de la balançoire, à me jeter à tous les quatre pas son regard-éclair.

Dans le crépuscule d'un bleu profond, je distingue à peine mon compagnon qui attend peut-être pour se retirer que je me retire la première.

Alors je lui joue un tour. Je ramasse mes affaires. Je rentre. Je fais comme si c'était pour de bon. Je ferme la porte. J'allume les lampes. Je laisse passer un moment.

Puis je ressors sans bruit. Je retourne à la balançoire. Il n'y a plus personne. Le merle dort peut-être déjà, sa petite tête sous l'aile. Mais je ne me sens plus seule maintenant. J'attends les premières étoiles filantes.

La Nuit des lucioles

La nuit est venue. Depuis longtemps mon ami le merle m'a quittée. Il doit dormir d'un profond sommeil dans le creux que je sais, au plus serré de la haie de thuya. Dieu ait en garde sa petite vie éphémère! Les étoiles filantes ont filé. J'ai fait un souhait. J'ai souhaité que les enfants de par ici ne se lassent jamais d'entendre raconter leur planète Terre. Même si de nos jours l'on reçoit des nouvelles de la Lune!

Après avoir brillé vivement, les étoiles ont pâli. A présent, elles sont à demi effacées comme des clous dédorés au plafond d'une vieille chapelle abandonnée à elle-même. Et je sais tout à coup pourquoi les étoiles s'effacent à demi. C'est pour laisser aux lucioles leur tour de briller. Les voici apparaître par centaines dans la nuit tiède et tranquille.

Il reste tout juste un rien de musique presque imperceptible suspendue à la cime des arbres. On les dirait frémissant dans leur rêve. Je ne peux me résigner à rentrer. Certaines nuits très rares, il semble que ce serait crime de ne pas veiller encore un peu avec elles. Non, cette fois, parce que chargées de l'angoisse du monde, mais au contraire parce que pénétrées de la plus mystérieuse joie. Et voici donc apparaître les porteuses de flamme.

Tout d'abord, au ras du sol, sur la pelouse fraîchement tondue, elles brillent à brefs éclats tout comme le phare dont les feux intermittents signalent aux bateaux le passage à la pointe de l'Ile aux Coudres.

S'éteignent, se rallument sans trêve sur l'herbe noire d'innombrables phares minuscules comme pour guider dans la nuit d'invisibles voyageurs. Ce pourrait être vous, ce pourrait être moi, qui avons souvent à chercher notre chemin.

Puis les humbles petites créatures montent dans les airs avec leur feu, et les voilà danseuses de ballet. Et virevolte! Et tourne sur soi! Et pivote, le diadème au front! Le ciel en est tout plein. Il est impossible de les suivre toutes à la fois du regard. Qui donc a inventé cette chorégraphie d'une inépuisable fantaisie? Feu là-haut, feu plus loin encore, et feu tout à coup presque sous ma main! Je l'aurais eu plus vive que j'aurais pu saisir cette flamme volante. Berthe m'a raconté en avoir plus d'une fois capturé quand elle était enfant. Pour ma part, je craindrais, par maladresse, de briser le mécanisme délicat qui fait jaillir la courte flamme bleue. Ce qui m'inquiète toutefois, c'est de penser que, de jour, je pourrais très bien me tromper et prendre pour un insecte banal l'une de ces petites célébrantes du feu.

Pourquoi existent-elles? On dit qu'elles annoncent du temps chaud, mais sans doute annoncent-elles beaucoup plus.

Les voici un peu calmées. Au lieu de danser dans les airs, elles sont devenues de simples promeneuses. A mi-chemin entre ciel et terre, elles passent et repassent avec leur petite lampe suspendue dont le feu nous est révélé ou caché selon les détours de la mystérieuse promenade.

La nuit est d'une douceur indicible. On pourrait se croire au seuil de l'infini, prêts à toucher enfin au but vers lequel tend notre espoir, inconnu de nous. Les flammes courtes continuent de voltiger dans le noir brouillé.

Leur existence est fugitive. Peut-être les lucioles ne vivent-elles que le temps de briller un instant d'un vif éclat.

Comme nous tous d'ailleurs!

Heureux ceux qui, du moins avant de s'éteindre, auront donné leur plein éclat!

Pris au feu de Dieu!

L'Enfant morte

Pourquoi donc le souvenir de l'enfant morte, tout à coup est-il venu me rejoindre en plein milieu de l'été qui chante?

Sans que rien en moi jusque-là en ait laissé pressentir la tristesse à travers l'éblouissante révélation de toutes choses au cours de cette saison.

Je venais de mettre les pieds dans un très petit village du Manitoba pour terminer l'année scolaire en remplacement de la maîtresse tombée malade ou ayant cédé au découragement, que sais-je.

Le directeur de l'École normale où j'achevais mon année d'études m'avait fait venir à son bureau: « Voilà, dit-il; cette école est libre pour le mois de juin. C'est peu, mais c'est une chance. Quand plus tard vous ferez la demande d'une classe, vous pourrez dire que vous avez de l'expérience. Croyez-moi, cela aide. »

C'est ainsi que je me trouvai au début de juin dans ce village très pauvre, aux cabanes bâties dans le sable, avec rien d'autre tout autour que de maigres épinettes. « Un mois, me disais-je, est-ce que cela va seulement me donner le temps de m'attacher aux enfants, aux enfants le temps de s'attacher à moi? Un mois, est-ce que cela vaut la peine de l'effort? »

Peut-être le même calcul occupait-il l'esprit des enfants qui se présentèrent ce premier jour de juin à l'école: « Cette maîtresse va-t-elle rester assez longtemps pour que c'en vaille la peine...? » car je n'avais jamais vu visages d'enfants aussi mornes, aussi apathiques, ou peut-être tristes, plutôt. J'avais si peu d'expérience. Je n'étais moi-même guère plus qu'une enfant.

La classe commença. Il faisait une chaleur de forge. Il arrive ainsi au Manitoba, surtout dans les régions de sable, que s'installe dès les premiers jours de juin une chaleur invraisemblable.

Je ne savais par où commencer ma tâche. J'ouvris le registre des présences, Je fis l'appel des noms. C'étaient pour la plupart des noms bien français et aujourd'hui encore il m'en revient à la mémoire, comme cela, sans raison: Madeleine Bérubé, Josephat Brisset, Émilien Dumont, Cécile Lépine...

Mais les enfants qui se levaient à tour de rôle, leur nom appelé, pour répondre: « Présent, mamzelle... » avaient presque tous les yeux légèrement bridés, le teint chaud et les cheveux très noirs qui disent le sang métis.

Ils étaient beaux, exquisément polis et très sages; il n'y avait vraiment rien à leur reprocher sinon cette

180

distance inimaginable qu'ils maintenaient entre eux et moi. J'en étais accablée. « Les enfants sont-ils donc ainsi, me demandais-je avec angoisse, intouchables, retranchés en quelque région où on ne peut les atteindre ? »

J'arrivai à ce nom :

— Yolande Chartrand.

Personne ne répondit. La chaleur gagnait de minute en minute. J'essuyai un peu de sueur sur mon front. Je répétai le nom et, personne ne répondant toujours, je levai les yeux sur ces visages qui me paraissaient si totalement indifférents. Alors, du fond de la classe s'éleva par-dessus le bourdonnement des mouches une voix que je ne situai pas tout d'abord :

— Elle est morte, mamzelle. Elle est morte la nuit dernière.

La nouvelle m'était apprise sur un ton si calme, si uni, que c'était peut-être cela le pire. Comme j'avais l'air de douter, les enfants tous ensemble me firent gravement de la tête un signe qui disait: c'est vrai.

Soudain s'appesantit sur moi un sentiment d'impuissance tel que je ne me souviens pas en avoir jamais éprouvé de plus grand.

— Ah! fis-je, ne sachant vraiment que dire.

— Elle est sur les planches, dit un petit garçon aux yeux de braise. Ils vont l'enterrer demain pour de bon.

— Ah! dis-je encore.

Les enfants paraissaient un peu plus déliés maintenant et disposés à parler, par bribes, à longs intervalles. L'un, du milieu de la classe, prit de lui-même la parole:

— Elle a traîné deux mois.

Nous nous sommes entre-regardés longuement en silence, les enfants et moi. Je comprenais enfin que l'expression dans leurs yeux que j'avais prise pour de l'indifférence en était une de pesante tristesse. Tout comme cette inimaginable chaleur qui nous abrutissait. Et nous n'étions qu'au début de la journée! Je proposai:

— Puisque Yolande... est encore sur les planches... qu'elle est votre compagne... et qu'elle aurait pu être mon élève... voulez-vous, ce soir, après la classe, à quatre heures... nous irons ensemble lui rendre visite?

Alors, sur ces petits visages trop graves a paru l'ébauche d'un sourire, retenu, bien triste encore, une sorte de sourire tout de même.

— Donc, c'est entendu, nous lui rendrons visite, toute sa classe.

A partir de ce moment, en dépit de la chaleur énervante et du sentiment qui nous hantait tous plus ou moins, je pense bien, que les efforts humains en fin de compte sont voués à une sorte d'échec, les enfants autant que possible fixèrent leur attention sur ce que je leur enseignais et moi je m'ingéniais à la susciter.

A quatre heure cinq, je les rejoignis qui m'atten-
daient presque tous à la porte, une bonne vingtaine
d'entre eux ne faisant pas plus de bruit que des enfants
en retenue. Quelques-uns prirent aussitôt les devants
pour me montrer le chemin. D'autres m'enserraient au
point de gêner mes mouvements. Il s'en trouva cinq
ou six parmi les plus petits à finir par me prendre par
la main ou le bras, et ils me tiraient légèrement en
avant comme pour guider une aveugle. Ils ne parlaient
pas, ne faisaient que me tenir enfermée dans leur
cercle.

Ensemble, de cette façon, nous suivions une piste
à travers le sable. Des épinettes grêles s'unissaient çà
et là en groupes serrés. L'air ne passait à peine plus.
En un rien de temps le village fut derrière nous, pour
ainsi dire oublié.

Nous sommes arrivés à une cabane en planches
complètement isolée au milieu de ces petits arbres.
La porte en était grande ouverte. Ainsi, avant d'entrer,
avons-nous pu voir d'assez loin l'enfant morte. Elle
était littéralement sur des planches. Celles-ci reposaient
à chaque extrémité sur deux chaises placées à quelque
distance dos à dos. Il n'y avait rien d'autre dans la
pièce. Tout ce qui s'y trouvait d'habitude avait été
entassé à côté, dans la seule autre pièce de la maison.
En plus du poêle, de la table, de quelques marmites à
même le plancher, il y avait là un lit et un matelas
avec des piles de linge dessus. Mais pas de chaises.
Apparemment celles qui servaient de support aux

planches sur lesquelles reposait l'enfant morte étaient les seules de la maison.

Sans doute les parents avaient accompli tout ce qu'ils pouvaient pour leur enfant. Ils l'avaient recouverte d'un drap propre. Ils avaient libéré une pièce à son intention. Sa mère probablement lui avait tressé les cheveux en deux nattes bien serrées qui encadraient le mince visage. Mais les pauvres gens n'avaient apparemment pu se dispenser de s'absenter pour quelque pressante nécessité: peut-être l'achat du cercueil à la ville; ou de quelques autres planches pour en fabriquer un eux-mêmes. Toujours est-il que l'enfant morte était seule dans cette pièce vidée pour elle, c'est-à-dire seule avec les mouches. Une légère odeur de mort déjà les attirait de loin. J'en vis une au ventre bleu se promener sur son front. Aussitôt je me plaçai à la hauteur de son visage et n'arrêtai plus d'agiter la main pour les repousser.

C'était un fin petit visage très amaigri et d'expression grave comme celle que j'avais vue à presque tous les enfants de par ici que des soucis d'adultes accablaient sans doute trop tôt. Elle pouvait avoir dix à onze ans. Elle aurait vécu quelque temps encore qu'elle aurait été une de mes élèves, me disais-je. Elle aurait appris quelque chose de moi. Je lui aurais donné quelque chose à garder. Un lien se serait établi entre moi et cette petite étrangère, qui sait, pour la vie peut-être!

Tandis que je considérais l'enfant morte, cette expression « pour la vie », comme si on entendait par

là une longue existence, me parut la plus téméraire et
la plus folle de toutes celles que nous employons à tort
et à travers.

Dans la mort cette enfant avait l'air de regretter
quelque pauvre petite joie jamais atteinte. Je conti-
nuai du moins à empêcher les mouches de se poser sur
elle. Les enfants m'observaient. Je compris qu'ils at-
tendaient maintenant tout de moi qui n'en savais
pourtant pas plus long qu'eux et qui étais dans le
même désarroi. J'eus tout de même une sorte d'inspiration. Je dis:

— Ne pensez-vous pas que Yolande aimerait quelqu'un avec elle tout le temps, jusqu'à ce que vienne le
moment de la confier à la terre?

La mine des enfants m'apprit que j'avais touché
juste.

— Donc nous nous relayerons autour d'elle, à
quatre ou cinq, toutes les deux heures, jusqu'à l'enter-
rement.

Ils m'approuvèrent d'un éclair dans leurs yeux
sombres.

— Il faudra veiller à ne pas laisser les mouches
toucher le visage de Yolande.

Ils firent un signe de tête pour montrer qu'ils
étaient bien d'accord. Rangés autour de moi, ils étaient
à présent à mon égard d'une confiance si grande
qu'elle me terrifiait.

Au loin, dans une éclaircie entre les épinettes, j'apercevais sur le sol une tache d'un rose vif dont je ne savais encore de quoi elle était faite. Le soleil oblique la toucha. Elle flamba sous ses rayons, le seul moment de cette journée à se revêtir d'une certaine grâce. Je demandai :

— Quelle sorte de petite fille était-elle ?

Les enfants mirent un peu de temps à comprendre. Enfin un petit garçon d'à peu près le même âge dit avec un tendre sérieux :

— Elle était fine, Yolande.

Les autres eurent l'air de lui donner raison.

— Est-ce qu'elle apprenait bien à l'école ?

— Elle n'y a pas été bien longtemps cette année. Elle manquait tout le temps.

— L'avant-dernière maîtresse de cette année, elle, elle disait que Yolande aurait pu être bonne.

— Combien de maîtresses avez-vous donc eu cette année ?

— Vous êtes la troisième, mamzelle.

— L'année avant, il y en a eu trois aussi. Ç'a l'air que les maîtresses trouvent la place trop ennuyante.

— De quoi est-elle morte ?

— De tuberculose, mamzelle, me dirent-ils ensemble, d'une même voix, comme si c'était la façon habituelle pour un enfant, par ici, de mourir.

186

Ils avaient le goût maintenant de parler d'elle. J'avais réussi à ouvrir la pauvre petite porte fermée au fond d'eux-mêmes que personne peut-être ne s'était jamais beaucoup soucié de vouloir ouverte. Ils m'apprirent de gentils faits de sa courte vie: comment un jour en revenant de l'école — c'était au mois de février... non! dit un autre, au mois de mars — elle avait perdu son livre de lecture et en avait pleuré de chagrin pendant des semaines; comment, pour apprendre sa leçon, il lui avait fallu emprunter le livre de celui-ci, de celle-là — et je vis au visage de quelques-uns qu'ils n'avaient pas prêté leur manuel de bon gré et qu'ils en auraient maintenant pour toujours du regret; comment, n'ayant pas de robe blanche pour sa communion solennelle, elle avait tant supplié que sa mère avait fini par lui en tailler une dans le seul rideau de la maison: « celui de c'te chambre icitte... un beau rideau en dentelle, mamzelle ».

— Et Yolande était-elle jolie à voir dans sa robe de dentelle de rideau ? leur ai-je demandé.

Ils m'ont tous fait un grand signe que oui, avec le souvenir dans leurs prunelles sombres d'une image plaisante.

Je contemplai le petit visage muet. Donc une enfant qui avait aimé les livres, le sérieux et les nobles parures! Puis je fixai les yeux de nouveau sur l'étonnante clairière rose au fond du morne paysage. Et soudain je sus que c'était là une masse d'églantines. Au mois de juin elles s'ouvrent en nappes abondantes,

au Manitoba, issues du sol le plus pauvre. J'éprouvai
un certain allègement.

— Allons cueillir des roses pour Yolande.

Alors reparut sur le visage des enfants le même
lent et doux sourire triste que j'y avais vu quand
j'avais proposé la visite au corps.

En un rien de temps nous étions à la cueillette. Les
enfants n'étaient pas encore joyeux, loin de là, mais
je les entendais du moins se parler entre eux pendant
que nous ramassions des fleurs. Une sorte d'émulation
les avait gagnés. C'était à qui aurait le plus de roses.
A qui trouverait les plus colorées, d'une teinte presque
rouge. De temps en temps, l'on réclamait mon attention :

— Regardez ça, mamzelle, la belle que j'ai trou-
vée!

De retour, nous avons effeuillé les roses sur l'enfant morte. Des pétales amoncelés émergea seulement
le visage. Alors — comment se peut-il ? — il nous parut
moins abandonné. Les enfants faisaient cercle autour
de leur compagne et ils disaient d'elle, sans cette amère
tristesse du matin :

— A doit avoir gagné le ciel à l'heure qu'il est.

Ou bien :

— Est contente à c'te heure.

Je les écoutais se consoler déjà, comme ils pouvaient, de la vie...

188

Mais pourquoi, pourquoi donc ce souvenir de l'enfant morte est-il venu m'assaillir aujourd'hui en plein milieu de l'été qui chante?

Est-ce le parfum des roses, tout à l'heure, sur le vent, qui me l'a apporté?

Les Iles

Ce n'est pas par temps clair que l'on déchiffre le mieux le lointain. De chez nous, on aperçoit au large du fleuve, sous des ciels d'orage ou avant le froid vif, de petites îles que l'on ne voit pas en d'autres temps. A peine les a-t-on eues pour compagnes un ou deux jours que déjà elles partent à la dérive, dans une sorte d'existence de rêve où il arrive que l'on saisisse, pour un instant encore, le contour imprécis de l'une puis de l'autre.

Vient l'été engourdi, exhalant sa buée de chaleur, et les îles disparaissent tout à fait. On passe de longues semaines sans les revoir une seule fois au loin du fleuve, du côté de Montmagny. D'ailleurs il n'y a plus de large. Par ces jours chauds et chantants, presque sans horizon, nous vivons bornés et bercés par le vent d'ouest qui nous tient enfermés en des cocons de faible bruissement d'eau, de léger frémissement de feuilles. Et le malheur paraît lointain. On en vient à ne penser presque plus aux îles.

Il paraît qu'elles sont vingt et une, éparpillées depuis l'Ile d'Orléans jusqu'à l'Ile aux Coudres, et deux ou trois seulement sont habitées. Pour quelques îles qui s'animent avec de la lumière le soir aux fenêtres, des allées et venues de porte en porte et le son de voix humaines, la plupart restent dans le silence des premiers jours de la création. Seules, les rejoignent dans l'immensité clapoteuse les sirènes de brume. Au cours de l'été, du pont de cargos qui ont dévié un peu de leur cours, quelque marin, en voyant apparaître celle-ci ou celle-là au ras de l'eau, a pu avoir l'impression de découvrir « son » île.

Mais de tout cet été qui chantait, nous, de la côte nord, n'avons aperçu les îles, là-bas, près de la rive sud, qu'une ou deux fois.

Arrivèrent les jours piquants de l'automne. Dans la maison, bêtes et gens se rapprochent du feu. Et c'est alors bizarrement que se rapproche aussi de nous la rive opposée dont on voit tout à coup avec une singulière netteté les églises, les toits, et même des granges que hier encore on n'avait jamais aperçues. De même se rapprochent les îlots qui sont à proximité de la rive sud. L'un après l'autre, ils viennent à la vie; ils naissent, pourrait-on dire, alors que tout meurt dans la nature. Voici donc toutes à l'appel, sur l'horizon bleu sombre, vingt et une îles dont plusieurs sont à peine plus que des ronds d'herbe de terre cernés d'herbe de mer...

Alors on se reprend à rêver.

— Comment sont-elles ? ai-je cent fois demandé à Berthe.

Elle me répond qu'elle n'en sait pas grand-chose. Elle se souvient tout juste d'avoir entendu son père raconter que son père à lui allait en « chaloupe à rame » dans l'une ou l'autre récolter le foin sauvage.

— Il couchait dans une des îles ?

— Oui, sans doute, dit Berthe.

Elle croit se rappeler des récits de ce temps-là conservés dans la famille d'une génération à l'autre. Les hommes avaient une tente, tout au moins un bout de toile en guise d'abri. Peut-être se construisaient-ils une hutte de branchages. Si des tempêtes brusques éclataient, comme il en survient sur le fleuve à cette époque de l'année, ils devaient attendre une accalmie, deux ou trois jours et peut-être plus, dans leur précaire refuge érigé sur l'une ou l'autre de ces petites touffes d'herbes à peine soulevées hors de l'eau. Durant ce temps, les femmes dans leurs maisons de la côte nord périssaient d'inquiétude.

Le ciel reste sombre quelques jours et les îles inhabitées demeurent un peu de temps encore avec nous. Elles nous obsèdent.

— Je n'ai jamais tant désiré aller quelque part que dans ces petites îles, Berthe.

Elle me sourit avec patience.

— Ce n'est pas facile. Il faudrait aller à Québec. Y prendre l'autobus pour la rive sud. Faire le grand

195

tour par terre. A Montmagny, chercher quelqu'un qui pourrait nous mener aux îles en canot-moteur ou en hélicoptère. Par bateau, il faudrait avoir la marée pour nous.

— En somme, à ces îles si proches, il faudrait Jolliet et le Père Marquette.

— Ou mon grand-père, dit Berthe.

Pendant que nous parlons passent dans le ciel lointain des réactés. Nous ne les distinguons pas, mais apercevons la traînée qui marque leur passage. Des gens qui ne voient pas la terre plus que nous voyons le jet sont en route pour Paris, Londres, Amsterdam.

A peu près au-dessus de notre tranquille petit village les jets amorcent leur décélération pour l'atterrissage à Dorval. L'altitude et certaines conditions d'humidité s'y prêtant, nous voyons leur trace. Autrement, rien ne nous signalerait que passent là-haut des voyageurs revenant de Paris, Londres, Amsterdam.

Nous nous lassons de chercher dans le ciel des signes de voyage. Il y en a vraiment trop. Cela ne peut plus guère nous captiver. Nous en revenons à nos îles du côté de Montmagny. Elles sont toutes présentes pour un moment encore, pareilles sur l'eau à une série de points de suspension.

— Y a-t-il des bêtes sur ces îlots ?

— Faudrait que ce soient de bien petits animaux, et encore! Comment auraient-ils traversé ? A moins qu'on y ait amené, puis abandonné là des chats, des

chiens. Ils y feraient une triste vie. Des oiseaux, cependant, il doit y en avoir en quantité.

Dans le haut ciel s'est effacée toute trace de
voyage.

Je recommence à rêver:

— Il faudrait pourtant aller découvrir au moins
nos petites îles, Berthe!

— Oui, m'approuve-t-elle, il faudrait les découvrir.

Seulement, nous savons qu'il n'y a qu'un moyen:
se lever au petit jour, partir en canot, parcourir à la
rame vingt milles d'eau, à certains endroits dangereusement agitée; accoster à la nuit noire dans une anse
sauvage; faire du feu, affronter ce qu'ont affronté les
hommes d'autrefois.

Nous nous lançons l'une à l'autre un regard
penaud. Nous savons bien que nous ne sommes pas de
l'étoffe dont étaient faits nos ancêtres. Nous nous disons
pour nous consoler que nous plaçons ailleurs notre
courage, et je suppose que c'est en partie vrai.

N'empêche que les insignifiants îlots à quelque
seize ou dix-huit milles au large, longtemps encore
nous font reproche.

Puis surviennent les brumes glaciales. Alors dis-
paraît le contour des îles du côté de Montmagny.
Tout comme des oiseaux qui nous auraient quittés
pour l'hiver.

Quel est donc sur notre cœur l'attrait des îles?

Ne serait-ce pas que nous sommes des enfants perdus qui aspirent à un commun rivage?

De retour à la mare
de
monsieur Toung

Nous sommes retournées par le chemin de fer, Berthe et moi, un soir de cet été, vers la mare de monsieur Toung. Parce que ne résonnerait plus ici le cordial salut du musicien de l'eau, ce n'était pas une raison pour manquer au pin solitaire, ni aux clochettes qui tirent du rude ballast leur couleur la mieux appareillée au ciel d'été. Parce que meurt un peu tous les jours ce qui fait notre joie de vivre, on ne doit pas en détacher d'avance son cœur.

Or, nous avons été bien récompensées. De nouveau, la mare était vivante et habitée. Par qui? Ah! je vous le donne en mille tant est inattendu de découvrir par ici Sire Malard et sa Dame. C'étaient bien eux pourtant qui évoluaient en silence dans la vieille mare toute rajeunie par leur présence. Il restait un brin de clarté sur un côté de l'eau, et c'était dans cette tache claire de la mare sombre que tournaient sans se quitter d'une semelle les beaux oiseaux heureux. Et l'eau mirait sans perdre le moindre détail du costume gai, l'étroite cagoule vert forêt, le bec jaune et jusqu'au petit œil brillant, un peu dur.

Nous n'avons pas cherché à engager la conversation, les malards n'y paraissant pas disposés. Très occupés d'eux-mêmes, ils nous regardèrent un moment d'un peu haut et continuèrent à s'entourer l'un l'autre de leurs belles manières.

Nous avons poursuivi notre marche, pensant : comme il est heureux que la mare soit de nouveau vivante! Nous éprouvions autant de joie qu'on en éprouve à voir dans une maison longtemps obscure une lampe soudain allumée. La beauté du malard ne chassait pas le souvenir de monsieur Toung; elle l'accompagnait.

Un peu plus loin, autre surprise heureuse! Par là poussent en bordure du fleuve sur des fonds fermes que l'on nomme batures, des îlots d'herbes les plus souples du monde, car deux fois par jour, à marée haute, le fleuve vient les recouvrir de son eau vivifiante.

Puis, quand il se retire, réapparaissent les herbes toutes rafraîchies, d'un vert tendre comme la salade du printemps, chacune portant à son extrémité une goutte d'eau de mer qui scintille.

Il n'y a rien ici de brusque. En douceur l'eau gagne sur les herbes; en douceur elle s'en retire; en douceur les herbes mouillées ralentissent et calment les dernières ondulations du fleuve.

Or, qui est-ce qui volait par ici sans hâte comme sans crainte? En vérité, c'était à ne pas le croire, jamais encore je n'avais vu de pluviers tranquilles et tout à fait contents de leur sort. Ceux-ci l'étaient pourtant sans l'ombre d'un doute.

Trois, le père, la mère, un enfant, ils passaient et repassaient au-dessus de la batture dont le vert s'assombrissait de minute en minute. Ils passaient entre le vert englouti et le blanc neigeux des nuages, dans une sorte de longue promenade en rond, sans désir apparent de sortir jamais de leur cercle enchanté. Et pour une fois je surprenais des pluviers qui ne se contredisaient pas l'un l'autre. En effet, on les entendait assez bien, dans le silence et la paix du crépuscule, se parler à voix basse, et ce qu'ils disaient nous sembla être:

— Que nous sommes donc bien ici!... ici!... ici!...

— Ah oui! les avons-nous approuvés, que vous êtes bien ici!... ici!... ici!... Et tâchez de ne pas l'oublier!

Mais nous étions toutes pleines encore de curiosité insatisfaite et nous demandions: Comment se fait-il que d'autres pluviers n'aient pas aussi découvert ces battures, ces mille cachettes bénies? Comment se fait-il que nos pluviers n'aient pas cherché refuge ici?... Comment se fait-il?... Comment se fait-il?...

Alors il nous a paru qu'un peu plus loin, dans la paix murmurante des lieux, les oiseaux nous reprochaient nos pauvres questions humaines et nous rappelaient:

— Tous ne sont pas heureux au même moment... Un jour c'est l'un, le lendemain l'autre... Quelques-uns jamais, hélas!

Ils s'éloignèrent sur le fleuve, tous les trois tenant les mêmes propos d'une même voix un peu affaiblie par la distance, en sorte que l'on croyait entendre une seule voix:

— Ici on est heureux... Là-bas non... Quand on sera heureux ensemble, ce sera le paradis... le paradis... le paradis...

Critiques de la presse

Ce livre est beau, ce livre est plaisant, ce livre est souvent gai, mais ce livre est également grave, presque constamment écrit dans le mode mineur. Mais ce livre n'est pas triste: les histoires de bêtes (et de gens, à l'occasion...) qu'il raconte se rangent toutes sous un commun dénominateur: la qualité franciscaine. Un seul chapitre est franchement intitulé: les Frères-arbres, mais tous les chapitres s'occupent de nos frères inférieurs avec esprit, sympathie, avec un humour discret qui est la marque des vrais amis des bêtes. Deux histoires sont poignantes et rappellent de grands livres: La Petite Poule d'eau et La Route d'Altamont. Il s'agit de « Le Jour où Martine descendit au fleuve » et de « L'Enfant morte », récits merveilleusement fraternels où l'on voit une vieille, très vieille, petite femme soupirer, prier, supplier qu'on la mène au bord de l'eau une dernière fois (et cela crée, sous la plume de Gabrielle Roy, une aventure extraordinaire, une aventure « à trois »); et d'un souvenir de la jeune institutrice manitobaine, souvenir qui vient « assaillir la femme-écrivain en plein milieu de l'été qui chante », souvenir d'une jeune morte mais aussi tableau saisissant de compassion dans une campagne désolée, « morne paysage » qu'une « masse d'églantine, clairière rose » réussit pour un moment à « colorer »...

Pour les petits récits animaliers, Gabrielle Roy réussit — c'est un miracle — à ne pas ressembler à la grande Colette, malgré ses connaissances précises, une science instinctive de la vie animale, un ton vif, le don des pointes sèches enlevées avec un art consommé. Je pense à « Monsieur Toung » le capricieux ouaouaron, à « Tontine » la petite chienne devenue si vieille, à « la grande-minoune-maigre » ou à « Mouffette » la petite chatte de l'auteur. Il y a aussi, dans CET ÉTÉ QUI CHANTAIT, les corneilles et les vaches, les arbres et les plantes, et même la voie ferrée, la « track » de toutes les enfances heureuses... et canadiennes. Une lecture bien faite pour réchauffer la longue et morte saison qui vient. Une lecture de grande classe!

Francion

L'Echo,
novembre 1972.

Nous voici donc encore une fois revenus au même point, au même rêve central qui anime toute l'œuvre de Gabrielle Roy. Ce rêve trouvera, dans l'avant-dernier livre publié à ce jour par l'écrivain, peut-être sa plus complète, sa plus pure expression. En effet, *Cet été qui chantait,* paru en 1972, représente probablement l'état ultime où puisse parvenir ce que nous avons appelé la « projection utopique ». Ce livre, qui se présente comme la simple chronique, quasi enfantine, d'un été de féerie dans le décor enchanteur de Charlevoix, n'est pas, contrairement à ce qu'on a pu en dire, une œuvre naïve. Certes, on y entend parler les bêtes, on y voit s'animer les plantes et les éléments, on y rencontre des personnages qui semblent tout droit sortis du paradis terrestre, et il règne dans ce *cercle enchanté* une amitié parfaite entre tous les êtres, aussi bien qu'entre les êtres et le monde qui les entoure. Tout ici est musique, harmonie et paix; rien ne vient troubler la béatitude des choses et des gens; la douleur et la misère n'existent plus; on est dans un vaste jardin.

Toutefois, il importe de bien comprendre la portée de cette vision édénique, qui ne se veut évidemment pas réaliste, et ne doit donc pas être jugée comme telle. La destination véritable de *Cet été qui chantait* est d'ordre imaginaire, ou mythique, au même titre que celle de *la Petite Poule d'eau* ou de la deuxième partie d'*Alexandre Chenevert.* C'est avant tout une promesse, un espoir, que Gabrielle Roy veut illustrer, en proposant une autre figure du monde d'innocence et de cohésion vers lequel elle n'a cessé, depuis les débuts de son œuvre, de vouloir s'acheminer. Aussi une telle vision, si réconfortante qu'elle soit, ne saurait-elle être donnée pour acquise, non plus que faire oublier la cruauté du réel, de ce réel sur lequel, au contraire, elle se doit de prendre appui et auquel elle doit sans cesse être confrontée.

Et c'est bien ce qui se passe dans *Cet été qui chantait.* En effet, il y a dans ce livre, derrière la vision heureuse qu'il offre, et précédant cette vision comme une question précède toujours sa réponse, il y a, dis-je, une détresse, une angoisse qui fonde et commande directement toute son inspiration, un peu comme *Bonheur d'occasion* avait commandé jadis *la Petite Poule d'eau.* C'est la douleur, au fond, qui préside à cette élaboration d'un monde paradisiaque, et qui trouve dans cette production imaginaire un moyen non seulement de se délivrer momentanément, mais aussi de se justifier; la douleur, qui ainsi se répond à elle-même et, ce faisant, s'exprime. La souffrance, la mort, la solitude ne sont donc pas absentes de

Cet été qui chantait, bien au contraire; elles y jouent implicitement un rôle primordial, étant en quelque sorte le principe à partir duquel se construit tout cet univers, qui a pour fonction directe et spécifique de les affronter et, les affrontant, de possiblement les vaincre.

De cet aspect capital de *Cet été qui chantait,* un récit comme celui de *l'Enfant morte,* que l'auteur, assez curieusement, a tenu à insérer en plein cœur de l'ouvrage de telle sorte qu'il introduise dans le cours généralement souriant du volume un brusque intervalle sombre, une image d'horreur au milieu de la félicité, ce récit, dis-je, est un indice fort révélateur. La mort, en effet, est au centre du livre, car c'est à elle, en réalité, sans presque jamais la nommer, que tout le livre répond. A la détresse, Gabrielle Roy répond par l'espoir. Dans ce retournement réside tout le sens de *Cet été qui chantait,* comme en témoigne l'émouvant récit de Martine qui, sur le point de mourir, revient une dernière fois au bord de son fleuve:

> *Elle se tenait au seuil de l'immensité, avec le regret de ses enfants morts et le souvenir de peines endurées, avec ses deuils et ses chagrins, avec la mémoire de l'attente sans fin de ce retour au fleuve. (...) Elle était devenue soudain toute présente à l'invisible, comme si derrière cette journée attendue toute sa vie elle en percevait une autre infiniment plus radieuse encore. Et elle avait besoin de son attention entière pour capter ce qui passait entre elle et le monde.*

> *Tout à coup, pieds nus au bord du ciel d'été elle se prit à poser des questions — les seules sans doute qui importent:*

> *— Pourquoi est-ce qu'on vit ? Qu'est-ce qu'on est venu faire sur terre? Pourquoi est-ce qu'on souffre et qu'on s'ennuie? Qu'est-ce qu'on attend? Qui est-ce qui est au bout? Hein? Hein?*

> *Le ton n'était pas triste. Inquiet peut-être au départ. Mais peu à peu il se faisait confiant. C'était comme si, sans connaître encore tout à fait la réponse, elle la savait bonne déjà. Et elle était contente enfin d'avoir vécu.*

Quel est donc sur notre cœur l'attrait des îles? demande
la narratrice de *Cet été qui chantait. Ne serait-ce pas que
nous sommes des enfants perdus qui aspirent à un commun
rivage?*

Depuis maintenant trente ans, cet attrait, cette quête du
commun rivage gouvernent l'œuvre de Gabrielle Roy. Depuis
trente ans, elle est en marche vers *le cercle enfin uni des
hommes*, vers cet horizon qui, se dérobant toujours, n'en
éclaire pas moins chacun de ses pas. L'œuvre de Gabrielle
Roy, en ce sens, aura été la longue poursuite d'un rêve, et
peut-être aussi, à force de le poursuivre, aura-t-elle donné à
ce rêve un peu plus de consistance et un peu plus de réalité.

François Ricard

Liberté,
janvier-février 1976.

« Cet été qui chantait », qu'est-ce donc sinon un poème
terre-à-terre, ciel-à-ciel, oiseau-à-fleur, mer-à-mer? J'y vois
d'abord la simplicité totale du grand artiste qui s'abandonne
à sa passion d'observer et d'aimer. Les mots viennent et
collent à la réalité de chaque jour. Il n'est plus besoin d'émettre des idées, puisque le contact est partout riche et présent,
comme si la terre elle-même (ou le ciel, ou les bêtes) écrivait
son histoire.

Il y a des livres d'amour terrien qui sont plus savants.
Rien ne supplantera jamais, dans ce domaine, Joseph de
Pesquidoux. Mais s'en trouve-t-il où l'âme se fasse plus trans-
lucide, où le cœur batte plus fort, où le sourire se dessine
avec plus de douceur, où la patience du regard amoureux
soit plus soutenue?

Gabrielle Roy vit au milieu des oiseaux. Sa maison est
petite. Il y a place pour un énorme buffet, qui touche presque
le plafond, pour un divan, des chaises, des étagères auxquel-
les les livres donnent leurs couleurs si vivantes. Au mur
du salon ou de la salle de séjour, près du buffet, une catalogne.
Des chambres, des lits bien faits. Les portes ont des moustiquaires, pour empêcher mouches, taons et brûlots de pénétrer. Certains soirs, au cœur de l'été, on allume des bougies.

Les amis et les voisins viennent bavarder, à voix basse pour ne pas gâter la pureté de la nuit. Mouffette, la chatte, va de l'un à l'autre. Dans le jardin, les oiseaux dorment. Seuls, un peu plus loin, au bord de la route, des kildirs apeurés crient au moindre mouvement. Dans le pré voisin, ni vaches ni cheval. Tout ce beau monde est rentré pour la nuit. Mais parfois le vent ne fait-il pas craquer la balançoire du jardin? L'oasis est livrée à elle-même, c'est-à-dire à la paix. Mais dès le matin, les oiseaux reprennent leurs ébats. Les corneilles s'envolent, les mouettes quittent la mer et survolent le territoire des humains, les colibris sautent d'une fleur à l'autre. La maison et le jardin deviennent une volière où bêtes et humains se sentent les maîtres d'une nature secrète et riche, en quête d'harmonie. Gabrielle Roy va et vient, un chapeau blanc sur la tête. C'est toujours le même chapeau, sans l'être, puisqu'elle le renouvelle chaque année. Elle court chez ses voisins, elle descend à la mer, parfois, en utilisant la voie ferrée elle se rend jusqu'à l'étang glacé de Monsieur Toung.

Chez elle, assise sur la balançoire (une grande balançoire à quatre places, j'imagine, aux mouvements lents) elle note ce qu'elle voit. Elle a des lunettes d'approche qui lui permettent de suivre les girations des oiseaux. Elle connaît leurs cachettes et eux connaissent cette dame qui les aime. Les oiseaux sont-ils aussi bons que nous les décrit Gabrielle Roy? Ceux qu'elle fréquente sont petits. Nous leur faisons peur. Ils aiment l'homme, mais ils le craignent. Ces sentiments sont bien mélangés. Mais il est certain que d'habitude l'amour répond à l'amour.

Jean Ethier-Blais
de l'Académie
canadienne-française

Le Devoir,
novembre 1972.

Deux études sur CET ÉTÉ QUI CHANTAIT

François Hébert, « De quelques avatars de Dieu », dans *Études française,* Montréal, vol. IX, nᵒ 4, novembre 1973, p. 345-349

François Ricard, *Gabrielle Roy,* Montréal, Fides, 1975, collection « Écrivains canadiens d'aujourd'hui », p. 140-151

OEUVRES DE GABRIELLE ROY

BONHEUR D'OCCASION

Montréal, 1945, 1947, 1965, 1970, 1977; Paris, 1947; Genève, 1968. Collection "Québec 10/10" no 6. Prix Femina 1947, "Book of the month" de la Literary Guild of America, Médaille de l'Académie canadienne-française, Prix du Gouverneur général du Canada. Traductions anglaise *(The Tin Flute)*, espagnole, danoise; slovaque, suédoise, norvégienne, roumaine, russe, tchèque.

LA PETITE POULE D'EAU

Montréal, 1950, 1957, 1970, 1980; Paris, 1951, 1967; Genève, 1953. Édition d'art avec vingt estampes de Jean-Paul Lemieux, Montréal, 1971. Collection "Québec 10/10" no 24. Traductions anglaise *(Where Nests the Water Hen)* et allemande.

ALEXANDRE CHENEVERT

Montréal, 1954, 1973, 1979; Paris, 1954. Collection "Québec 10/10" no 11. Traductions anglaise *(The Cashier)* et allemande.

RUE DESCHAMBAULT

Montréal, 1955, 1956, 1967, 1971, 1980; Paris, 1955. Collection "Québec 10/10" no 22. Prix du Gouverneur général du Canada. Traductions anglaise *(Street of Riches)* et italienne.

LA MONTAGNE SECRÈTE

Montréal, 1961, 1971, 1974, 1978; Paris, 1962. Édition de luxe illustrée par René Richard, Montréal, 1975. Collection "Québec 10/10" no 8. Traduction anglaise *(The Hidden Mountain)*.

LA ROUTE D'ALTAMONT

Montréal, 1966, 1979, 1985; Paris, 1967. Collection "Québec 10/10" no 71. Traductions anglaise *(The Road Past Altamont)* et allemande.

LA RIVIÈRE SANS REPOS
Montréal, 1970, 1971, 1979; Paris, 1972. Collection "Québec 10/10" no 14. Traduction anglaise *(Windflower)*.

CET ÉTÉ QUI CHANTAIT
Québec et Montréal, 1972, 1973; Montréal, 1979. Collection "Québec 10/10" no 10. Traduction anglaise *(Enchanted Summer)*.

UN JARDIN AU BOUT DU MONDE
Montréal, 1975, 1981, 1987. Collection "Québec 10/10" no 93. Traduction anglaise *(Garden in the Wind)*.

MA VACHE BOSSIE (conte)
Montréal, 1976, 1982. Illustrations de Louise Pominville.

CES ENFANTS DE MA VIE
Montréal, 1977, 1983. Collection "Québec 10/10" no 66. Prix du Gouverneur général du Canada. Traduction anglaise *(Children of My Heart)*.

FRAGILES LUMIÈRES DE LA TERRE
Montréal, 1978, 1980, 1982. Collection "Québec 10/10" no 55. Traduction anglaise *(The Fragile Lights of Earth)*.

COURTE-QUEUE (conte)
Montréal, 1979, 1980. Illustrations de François Olivier. Prix de Littérature de jeunesse du Conseil des Arts du Canada. Traduction anglaise *(Cliptail)*.

DE QUOI T'ENNUIES-TU, ÉVELINE?
Montréal, 1979, 1982, 1984. Illustration de Martin Dufour.

LA DÉTRESSE ET L'ENCHANTEMENT,
autobiographie. Montréal, 1984.

L'ESPAGNOLE ET LA PÉKINOISE
(conte), Montréal, 1986 .

TABLE

CET ÉTÉ QUI CHANTAIT

Québec